AMORES EXPRESSOS

DANIEL GALERA

Cordilheira

5ª reimpressão

Copyright © 2008 by Daniel Galera

Grafia atualizada segundo o Acordo Ortográfico da Língua Portuguesa de 1990, que entrou em vigor no Brasil em 2009.

A coleção Amores Expressos foi idealizada por RT/ Features

Capa
Retina_78

Preparação
Leny Cordeiro

Revisão
Carmen S. da Costa
Marise S. Leal

Atualização ortográfica
Verba Editorial

Dados Internacionais de Catalogação na Publicação (CIP)
(Câmara Brasileira do Livro, SP, Brasil)

Galera, Daniel
 Cordilheira / Daniel Galera. — São Paulo : Companhia das Letras, 2008.

 ISBN 978-85-359-1326-2

 1. Ficção brasileira I. Título.

| 08-08988 | CDD-869.93 |

Índice para catálogo sistemático:
1. Ficção : Literatura brasileira   869.93

[2017]
Todos os direitos desta edição reservados à
EDITORA SCHWARCZ S.A.
Rua Bandeira Paulista 702 cj. 32
04532-002 — São Paulo — SP
Telefone: (11) 3707-3500
www.companhiadasletras.com.br
www.blogdacompanhia.com.br
facebook.com/companhiadasletras
instagram.com/companhiadasletras
twitter.com/cialetras

I dream some nights of a funny sea,
as soft as a newly born baby
It cries for me pitifully!
And I dive for my child with a wildness in me,
and am so sweetly there received

Joanna Newsom, "Colleen"

Imaginar o inexistente é um ato de paixão pela vida, mas viver o imaginado requer um amor duradouro e, sobretudo, um compromisso.

Jupiter Irrisari, *Personajes*

COMO ÁGUA

Foi até a entrada do quarto apenas para despedir-se e viu que a filha estava penteando os cabelos sentada na cama, vendo-se no espelho da parede. A cena o imobilizou. Lembrou da época em que ainda era o responsável por pentear os cabelos de Anita quando a babá não estava em casa para dar conta da tarefa. Quando pequena, ela tinha a noção de que os cabelos deviam ser penteados por horas. "Mais", dizia quando ele já achava que tinha terminado, os fios correndo tão soltos que davam a impressão de que jamais voltariam a se enroscar. Nunca deixou de ser assim. Adulta, Anita ainda tinha o hábito de pentear os cabelos sem necessidade e por intermináveis períodos. Aos vinte e três anos, era aos olhos do pai uma mulher culta e bonita, porém um pouco introspectiva demais. Ou quem sabe introspecção não fosse o caso dela. Era sociável, não lhe faltavam amigos nem disposição para envolver-se em atividades coletivas. Mas de vez em quando parecia apagar enquanto olhava a vista de uma janela, uma rua, o mar, ou até mesmo uma parede. Contemplativa. Contemplava tudo longamente, inclusive a si própria, e era isso que fazia agora, penteando os cabelos. Antes de ela notar sua presença ali na porta, teve tempo de imaginá-la alguns anos no futuro, casada, com filhos, fazendo sabe lá o quê da vida — não parecia interessada em ser jornalista. Desde que tinha se formado, pensava apenas no livro que vinha escrevendo. Talvez não fosse idéia digna de um pai, trazia-lhe culpa, mas perguntava-se se já não era hora de Anita desvencilhar-se dele. Não tanto pelo bem dela, mas por ele próprio. Vinte e três anos sendo pai e mãe para uma garota, desdobrando-se para educá-la e protegê-la, cercando-se de mulheres que lhe davam conselhos sobre ritos da puberdade e certas instabilidades emocionais típicas, suportando as roupas pretas, o barulho horrendo e as tatuagens de sua adolescência pseudometaleira (não chegou ao ponto de tocar numa banda nem de arranjar um namorado oriundo da tribo, mas quase), amando-a não apenas mais que qualquer coisa no mundo, mas amando-a *por dois* — tudo isso ao longo de duas décadas e pouco configurara uma experiência inevitável e bela, encantadora e desgastante, e agora, aos cinqüenta e dois anos, permitia-se uma certa sensação de dever cumprido. Sua vida tinha chegado à metade do segundo tempo. Hora do técnico fazer alterações. Será que era horrível esse desejo egoísta de liberdade? Já não tinha feito por merecê-la?

Não queria ter pena de si mesmo, era velho demais para isso. Mas às vezes suspeitava que até mesmo Anita o olhava com uma certa pena.

"Pai", ela disse ao percebê-lo ali parado. "Que tá fazendo aí?" Não era nada, respondeu, só queria avisar que estava saindo para jogar pôquer com os colegas da firma, como se ela não soubesse, como se ele não jogasse pôquer com os amigos quase toda noite de sexta-feira. "Lembra quando você penteava meu cabelo?", ela perguntou deitando a escova sobre as pernas. "Quer fazer isso?" Estava atrasado para a partida. Eles não perdoam atrasos, Anita, os caras são foda. "Ah, pai, só um pouquinho. Eu gostava tanto." Aproximou-se dela e pegou a escova. Será que ela lembrava mesmo? Era tão pequena. Ou ele próprio tentava negar o fato de que esses vinte e três anos haviam transcorrido tão rápido, de que o passado tinha acabado de acontecer? Segurou seus longos cabelos negros, eram como água. "Não sei se lembro bem, filha. Era assim mesmo que eu fazia?"

MAMIHLAPINATAPAI

1.

Os argentinos se reproduzem por osmose, garantiam meus amigos que já tinham passado pela excruciante experiência de tentar seduzir uma argentina. Volta e meia eu trazia essa teoria à mente apenas para tentar afugentar a imagem que me perseguiu durante todo o vôo para Buenos Aires, a de um homem meio narigudo, magro e atlético, com corte de cabelo estilo *mullet*, a barba por fazer, cheirando a cigarro, sussurrando cafajestadas em castelhano e despindo seu belo casaco de lã imitado de alguma grife nova-iorquina para então montar em cima de mim e meter com força até esporrar o colo do meu útero e então desaparecer da minha vida. Não era nisso que eu queria pensar. Pelo menos não o tempo todo. Queria pensar no que diabos ia dizer no dia seguinte, para uma platéia de argentinos que não falam português, a respeito de um romance que por vezes mal lembrava de ter escrito. A edição argentina estava sobre minhas pernas e eu tentava folheá-la de tempos em tempos procurando compreender o que aquele livro ainda significava para mim, mas ele não significava quase nada, era uma história de amor trágica inventada por uma garota que eu já não era. Tinha recebido no dia anterior um e-mail empolgadíssimo do meu editor argentino dizendo que *El País* havia publicado uma resenha favorabilíssima, que o livro estava distribuído nas livrarias e em todos os estandes da Feira do Livro de Buenos Aires e que um programa de televisão local viria me entrevistar após o evento de lançamento para falar sobre a nova geração de autores brasileiros. Tudo isso me assustava e eu pretendia usar o tempo do vôo para reavivar temporariamente em mim a condição de escritora, algo que já tinha decidido que não era. O problema é que ninguém acreditava. Pensavam que uma menina que ganha um par de prêmios literários mais ou menos importantes aos vinte e cinco anos jamais poderia deixar de escrever, negando-se a compreender que eu já rejeitava aquele livro como essas mães que rejeitam os filhos, ao passo que para mim a percepção era exatamente inversa. A literatura era passado e, num mundo em que mães rejeitam filhos, eu não conseguia parar por um instante sequer de pensar em ter um.

    Fazia três meses que tinha parado de tomar pílula e cinco dias que tinha encerrado um relacionamento de quase dois anos porque o filho-da-puta simplesmente se recusava a me engravidar, por mais que eu implorasse. Apesar de ter quase trinta anos de idade e uma vida profissional que lhe dava estabilidade financeira mais do que necessária, Danilo não pensava em ter filhos nem agora nem daqui a sei lá quantos anos. A palavra *filho* chegava a lhe dar certo mal-estar, e ele franzia a testa como se estivesse sofrendo o ataque de um inseto ou como se algum tipo de freqüência sonora quase inaudível porém perturbadora invadisse seus ouvidos. Pior que isso, ele julgava inconcebível que eu desejasse ter filhos e ao tratarmos do assunto me encarava como se eu fosse uma mutação genética, uma louca ou uma donzela do passado que tinha acabado de viajar para o futuro e pousado no tapete fofinho do *estúdio* do apartamento dele, em meio a um divã comprado em loja de antigüidades, um pufe vermelho, uma luminária futurista com um imenso braço articulado de metal escovado e lâmpadas dicróicas, *duas lava lamps* e — e mais um monte de coisa, mas o que importa é que eu amava ficar esparramada no tapete enquanto ele trabalhava no computador, pintando as unhas ou lendo e perturbando-o de vez em quando, e nas três ou quatro vezes em que lhe disse que pensava o tempo todo em ser mãe, que nosso filho seria lindo porque nós dois éramos lindos, que o nome poderia ser esse ou aquele, ele tentava me ignorar e, sendo impossível, dizia:

— Anita, eu realmente não consigo imaginar a gente tendo um filho nesse momento das nossas vidas.

Ou:

— Anita, preciso *mesmo* finalizar essa animação até amanhã cedo ou vou me foder, é sério.

Ou:

— Como é que você pode pensar em ter um filho agora? Tá falando sério? Você faz idéia da complicação que é cuidar de uma gestação e depois criar um filho? Não é assim. Daqui a um tempo eu vou comprar um apartamento, não é melhor esperar? E a sua carreira de escritora? Devia estar terminando um livro novo, escrevendo pra revistas, pra jornais. Tem que aproveitar que você está por cima agora, que a mídia ainda te conhece. Você escreve tão bem. Você vai ser grande, muito grande. Acho que não se dá conta disso. — Sai da cadeira em frente ao computador e deita do meu lado no tapete. — Sabe por que que eu te amo? Porque você é linda e talentosa. Tão mais inteligente que as outras pessoas, tão mais inteligente que eu. Mas você está desperdiçando isso. Com vinte e sete anos e fica aí jogada pela casa, toda esculhambada, passando o tempo com bobagem. Sei lá. Escreve, baby. Você é uma *escritora*. Isso é maravilhoso. Se você deixar o momento certo passar, quando for mais velha vai se arrepender de não ter aproveitado. Vai pensar, eu fiquei pensando em ter um filho quando era nova, muxoxando pelos cantos, enquanto podia ter feito isso e isso e aquilo e escrito outros livros e ganhado muito dinheiro com minhas idéias. Podia ter escrito roteiros. Não ia escrever um roteiro pro Marcão? Falei com ele esses dias. Ele tinha adorado seu argumento pro longa. *Adorado.* Tá me ouvindo? Eu me preocupo com você desse jeito. Faz um tempão que você não faz nada. Lê um pouco, lava a louça, dorme. Eu te admiro tanto. Não quero que seja dependente de mim, sabe. Quero que a gente fique junto, mas quero te ver com a tua própria vida. Não acha?

— Eu quero um bebezinho...

Com minhas amigas eu também não encontrava muita compreensão. Éramos quatro inseparáveis, eu, Julie, Amanda e Alexandra. Julie era minha irmã desde os tempos de colégio, a irmã que nunca tive, e das três era a que de fato mais procurava entender o que se passava comigo. A família era francesa mas mudou-se para o Brasil quando ela era bebê. Era bailarina, começou a fazer balé antes mesmo de aprender a ler e dava workshops de dança moderna que eram disputados a tapa. Foi a última da turma a brotar peitinhos e quadris, mas quando botou corpo se transformou num mulherão de curvas quintessenciais com um metro e setenta e sete de altura, cabelos loiros translúcidos como fios de náilon e um rosto delicado de nariz e queixo pequeninos, uma potranca com rosto de francesinha. A partir daí, foi alvo de abordagens incessantes de homens de todas as idades, e minha impressão é de que cedia a todos, sem exceção, ao passo que eu exercitava minha seletividade com grande determinação. *"Tu as besoin de baiser avec quelqu'un,* Anita", me dizia ao perceber que eu estava com raiva do mundo, e ela tinha razão, eu tinha que ter dado para muito mais caras do que dei nessa vida e isso me fazia falta agora. Julie não se apegava aos homens, e o sexo para ela era sobretudo uma questão de vaidade. Cada homem comido não passava de uma afirmação de sua beleza e elegância de movimentos. Não trepar era sinônimo de estar feia e desengonçada como nos anos adolescentes. Seus casinhos eram classificados como "o fofo", "o gracinha", "o paizão". Assim era a Julie, minha irmãzinha dançarina, e eu a amava. Desde que meu pai morreu, ela era o mais próximo que eu tinha de uma família.

— Tudo bem, Anita, eu entendo — Julie me disse meses atrás, de madrugada, na casa dela, dando colheradas numa lata de leite condensado fervida. — Acha que eu também nunca tive vontade de ter um filho? Penso nisso de vez em quando. Mas acho que você tá obcecada com isso agora. Não adianta. Você tem um lance legal com o Danilo, mas ele não tá a fim por enquanto, então dá um tempo.

Dei o golpe de misericórdia na segunda garrafa de vinho.

— Não quero dar um tempo. Vou parar com a pílula.

— Danada. Avisa o Danilo, pelo amor de Deus.

— Vou avisar.

— Você é uma menina, Anita. Nós somos meninas. Curte a vida. Larga o Danilo se cansou dele. É esse o problema? Vai viajar, escreve um livro. *Tu as besoin de baiser avec quelqu'un*, só isso.

— Nós somos mulheres, não meninas. E faz tempo, Julie.

No dia seguinte ela me mandou um link para um site desses femininos onde respondem perguntas das internautas:

Minha imensa vontade de ter um filho pode atrapalhar na hora de engravidar?
Isadora, de Vitória-ES

Resposta:

Você está certa quando diz que a sua "vontade imensa" de ter um filho pode atrapalhar. Isso ocorre porque acima de sua vontade está o seu cérebro que manda em todo o seu corpo e quando as emoções são muito intensas elas passam a acionar necessidades que entram em conflito com as razões. Em casos mais extremos, isso pode alterar até a sua ovulação. Esses bloqueios ocorrem através de ações chamadas de neuroendócrinas.
O equilíbrio entre razão/emoção é fundamental em tudo nesta vida. Procure pensar não só em gerar um filho, mas também em ter uma vida saudável, feliz e tranqüila. Corra atrás de seus sonhos e realize seus projetos. Tente moderar sua ansiedade. Isso lhe trará benefícios. Difícil? Com certeza. Mas não é impossível!!!

Amanda e Alexandra me reservavam, por sua vez, agressividade e condescendência, respectivamente. Amanda era uma gaúcha de Torres que tinha se mudado para Porto Alegre para estudar história, abandonado a faculdade no primeiro ano para cursar oceanografia em Florianópolis e abandonado este novo curso no segundo ano para viver em São Paulo, onde estava fazia cerca de dois anos. Seu trabalho mais recente era de assessora numa ONG que promovia a permacultura, um conceito de moradias e sistemas produtivos auto-sustentáveis, em integração total com a natureza. Tinha um namorado que vivia numa ecovila em Ubatuba e passava os fins de semana lá. Mas sabíamos que suas convicções ecológicas eram meio superficiais, como tudo em sua vida. Nos últimos tempos, Amanda só falava em deixar o namorado e a ONG e ir para a Cidade do México, lar de um documentarista que conhecera no litoral e com quem tivera um casinho no último verão. "São Paulo está ficando pequena pra mim", dizia num sotaque meio gaúcho meio catarinense, com toda a seriedade, piscando os cílios enormes, assentindo devagar com a cabeça e olhando ao mesmo tempo para os lados, para o alto e para baixo. Quem a conheceu primeiro foi Alexandra, que fez uma matéria sobre permacultura para uma revista. Independência era sua palavra favorita, o conceito supremo perante o qual media todas as outras coisas. Engravidar, de acordo com ela, não me tornaria mais independente. A idéia de ser mãe era um capricho absurdo, como fez questão de deixar claro num de nossos encontros AJAX (Anita Julie Amanda Xanda) num barzinho em Pinheiros:

— Filhos. Ah. Na boa, eu só quero ter filhos quando tiver certeza de que minha vida está arrumada. Não quero descontar meus traumas e frustrações nos meus filhos. Antes disso, preciso ficar resolvida, independente. Queria ter filhos com cinqüenta, sessenta anos. Acho que vai ser possível até lá, a medicina tá resolvendo tudo. Agora, tu, Anita? Faz favor, né guria.

— Qual o problema, porra?

— Ah, não sei. — E aí ela me olhou de cima a baixo, como se não me conhecesse. — Sei lá, o mundo tá aí, tanta coisa e tu nessa pilha aí.

— Que pilha? Por que você acha isso ruim?

Amanda quieta.

— Por que isso é ruim? *Por quê*, Amanda?

— Não sei. Não sei. Não é *o filho* em si. Ah, eu não te entendo, na real.

— Vai passar — disse Alexandra.

— Eu *não quero* que passe.

— Mas vai. Já passei por isso. Tive esse surto de instinto materno. De ver um nenê na rua e virar uma débil mental, ficar fazendo bilu-bilu na pobre da criança até a mãe começar a achar bizarro e me enxotar. Normal. É um momento. Eu tava meio perdida também.

— Mas...

— Namorava o Dante, a gente tava falando em casar, eu tava só fazendo uns frilas, meio de bobeira...

— Mas Xanda...

— Mas aí a gente terminou, tive que alugar um apê, ajeitar a minha própria casa, arranjei trampo na Abril e, quando me dei conta, puf. Todo aquele instinto tinha sumido e a idéia de ter um filho *tão cedo* pareceu absurda. É só o corpo, Anita. Daqui a pouco teu organismo desiste.

Alexandra era a mais velha das quatro, uma amiga de infância de Julie. Tinha trinta. Aos vinte e oito, entrou em depressão e precisou de muita psicoterapia e paroxetina para sair do buraco. Quando a pior fase estava superada, passou a agir como se nada daquilo tivesse acontecido, como se Dante, seu companheiro havia cinco anos, não tivesse caído fora por não ter agüentado o tranco quando ela mais precisou dele. Preferia dizer simplesmente que os dois "tinham terminado". Ultimamente estava muito bem, trabalhando como repórter numa revista semanal, os cabelos castanhos sempre lisos e bem cortados, o carro sempre encerado e cheiroso, o celular tocando sem parar. Apesar disso, eu sentia que dentro dela havia um espaço vazio. Tinha medo de tocar em Alexandra porque parecia que ela podia esfarelar. Uma vez, pouco antes de se afundar na depressão, numa noite em que Dante não estava, ficamos conversando sozinhas no fim de um jantar em sua casa e ela tentou me beijar. Estava bêbada, é claro. Por um instante achei que fosse só frescura, mas era sério e eu a afastei. Rejeitada, pareceu incorporar alguma entidade sombria.

— Anita — disse com desprezo. — Anita van der Goltz Vianna. Você se acha grande coisa. *Escritora. I... don't... care...* — Me olhou com raiva, mas o olhar foi derretendo até se tornar terno e complacente, uma transformação medonha. — Anita, ita, ita... às vezes eu penso que você ainda vai sofrer tanto, mas *tanto* nessa vida.

Ela começou a chorar, e eu também.

Houve um momento, uns dois meses atrás, em que vi que tudo estava errado. Foi repentino, como se alguém tivesse acionado um interruptor de luz. O que as pessoas ao meu redor esperavam de mim não tinha nada a ver com o que eu queria, e o que eu queria era visto por elas como capricho ou alucinação passageira. Sentia vontade de abraçar meu pai mas ele estava morto fazia três anos e meio. E desde que eu tinha parado de tomar anticoncepcional minha vontade de ser mãe havia se tornado uma necessidade física, uma sensação comparável a uma fome gástrica, uma contração interna que era preciso saciar a qualquer custo e me impelia à ação. Embora tenha passado por minha cabeça a alternativa de abafar essa ânsia, de me adaptar ao parecer que meu companheiro e minhas melhores amigas forneciam acerca dessa extravagante moléstia, decidi que a coisa correta a fazer, a escolha mais bela, o que eu de fato queria era abraçar esse desejo visceral com todas as minhas energias. Desde os dezesseis anos eu vinha enganando meu organismo com hormônios, mas tinha passado o controle de volta a ele, deixando que abrisse as comportas da fertilidade represada e fizesse coro comigo: *nós sabemos o que queremos agora*. Acreditava que com um pouco de tempo convenceria Danilo a ter um filho comigo, porque ele me amava e eu o amava e amaria ainda mais se nos uníssemos para gerar uma nova criatura, e no fundo ele só estava sendo um pouco teimoso e medroso, o que é típico dos homens, tão típico quanto sua tendência a mudar de ideia e aceitar as coisas logo em seguida, num instante que gostam de definir como "o adequado". Porém, meus planos foram abalados por uma sucessão atordoante de acontecimentos que me pareceram surpreendentes na época, mas que depois eu veria como um tanto previsíveis ou até mesmo inevitáveis.

Primeiro foi o convite para lançar meu livro em Buenos Aires. Lembrava que os direitos haviam sido vendidos uns seis meses antes, mas tinha quase esquecido do assunto e a notícia de que a tradução estava pronta e o livro indo para a gráfica me pegou um pouco de surpresa. O editor argentino, Vicente Imbrogiano, enviou um e-mail perguntando minhas preferências de passagem aérea e informando que o lançamento aconteceria dentro da programação da Feira Internacional do Livro de Buenos Aires, no dia 23 de abril. Haveria alguma espécie de debate seguido de uma sessão de autógrafos. Eu ficaria cinco dias na capital argentina, com tudo pago pela embaixada brasileira. Em breve receberia um adiantamento de direitos autorais no valor de dois mil dólares, uma soma atraente, visto que o aluguel de um apartamento de dois quartos, uns pinguinhos de direitos autorais aqui e ali e a raspa da panela de uma pequena herança eram minhas únicas fontes de renda nos últimos tempos. Buenos Aires nunca significou nada para mim e nunca fui muito de viajar, mas naquele momento específico a ideia me parecia estimulante. Amanda já tinha passado férias lá e garantia, a seu modo, que a visita valia a pena.

— É maravilhoso, Anita. Os cafés, as lojas. Mas cansa. No fundo, no fundo, eles são uns provincianos. Saquei tudo em três dias, depois tive vontade de ir embora.

Antes que tivesse a oportunidade de contar a novidade para Julie, ela tentou se matar tomando quinze comprimidos de Clonotril, um tranqüilizante que eu sabia que ela tomava esporadicamente quando ficava ansiosa ou queria apagar e esquecer um pouco da vida. Foi Ludivine, a mãe dela, que me ligou dizendo que Julie queria me ver. Já estava na casa dos pais, depois de ter passado a noite e o dia no hospital, onde lhe fizeram uma lavagem gástrica. Encontrei-a na cama, sorridente e em câmera lenta. É possível que durante nossa conversa eu tenha dado a Ludivine a impressão de estar ainda mais avariada que sua filha. A tristeza e o amor que sentia por minha amiga concorreram com a incredulidade e um leve sentimento de raiva que tentei engolir em vão. A meus olhos, Julie era uma mulher mais feliz que a média. Linda, saudável, talentosa, filha de pais cultos casados havia trinta anos, tolerantes e apoiadores. Sofria por sua dificuldade de se envolver com os homens, era estabanada e vivia perdendo coisas importantes, tinha sua dose eventual de vazio e angústia como qualquer pessoa, mas nunca tinha me confessado nada que justificasse fazer uma coisa dessas, ainda mais *sem falar comigo antes.*

— Julie, que cagada.

— Não agüento mais, amiga.

— O quê? Meu Deus, Julie, você é a mulher mais maravilhosa do mundo.

— Tá foda, Anita. Tá foda.

— Por que não me ligou? Conversa comigo quando você ficar mal.

— Não sei, não sei... me abraça.

Abracei.

— O que você bebeu junto com os comprimidos?

— Cuba.

— *Cuba?* Pelo amor de Deus, Julie.

Voltei para casa demolida e me grudei no Danilo, que fez de tudo para que eu me sentisse melhor, mas minha percepção da vida e de todas as pessoas que faziam parte dela estava danificada e um desejo generalizado de fuga me apertou o peito numa noite agitada. Lembro de ter levantado no meio da madrugada para fumar um cigarro sem gosto e beber uma taça de vinho na esperança de relaxar e pegar no sono em seguida. Abri a janela da sala e recebi a brisa fria no peito nu como uma criança esperando resfriar-se para não ter de ir à escola no dia seguinte. Passei minutos olhando fixamente para Sonja, o simpático lagostim vermelho que Danilo criava num aquário de cem litros. A danada me esnobou, como sempre. Ficou ali tateando seu mundinho líquido com as antenas. De vez em quando Danilo jogava no aquário peixinhos lentos que Sonja caçava com pinçadas fulminantes. Agora estava entediada. Dei umas batidinhas no vidro e ela nada. E então olhei para o lado e vi meu próprio livro na outra metade da estante de aço, ensanduichado entre volumes maiores, importados, de capa dura. Tinha publicado o livro em 2005 por uma editora conceituada. Meu primeiro e último livro, não contando um livrinho de poesias que publiquei com minha própria grana aos vinte anos e no qual não gostava nem de pensar. Peguei o romance e li alguns trechos aleatórios. Era de estranhar que meu nome estivesse na capa. O que os leitores viam naquilo? Por que deram prêmios a essa coisa prolixa, ultrapassada, incoerente?, pensei naquela noite fria, e a consciência de que esse esforço de expressão que tinha sido a coisa mais importante da minha vida por uns três anos pudesse deixar de fazer sentido para a autora apenas um ou dois anos depois afundou ainda mais meu ânimo. Tinha tanta certeza do que queria ser na vida enquanto escrevia aquelas páginas! Agora elas me constrangiam. E nisso Danilo, estranhando minha ausência na cama, apareceu na sala, foi até a cozinha, voltou com um copo d'água e me perguntou o que estava errado. Me conhecia bem o bastante para saber que não se tratava apenas da tentativa de suicídio de Julie, mas não o bastante para captar que eu tinha um novo objetivo na vida: ser apenas a mulher de um homem. Até aquele momento, eu ainda achava que esse homem podia muito bem ser ele. Se Julie foi desde a infância a irmã que nunca tive, Danilo era meu pai fazia dois anos, desde que começamos a namorar. Desejava que ele me acolhesse por inteiro, que assumisse o papel protetor que esperava dele. Ele tirou o livro da minha mão e me conduziu de volta para a cama. Deitamos, ele cheirou meus cabelos e beijou minha nuca. Me virei de frente para ele, nos beijamos por horas e horas e ele me comeu por cima, grudadinho em mim, cobrindo meu peito com os pêlos de seu peito. Quando senti que ele estava prestes a gozar, tentei mantê-lo dentro de mim como vinha tentando fazer toda vez desde que tinha parado com a pílula, mas era sempre a mesma coisa, ou ele ignorava meus protestos e usava uma camisinha ou ele tirava para fora e gozava em cima de mim. Segurei sua bunda com toda a força, cravei as unhas, mas ele venceu de novo, o desgraçado escorregou para fora e gozou na minha barriga. Enquanto ele buscava um lenço de papel para me limpar, me imaginei recolhendo a porra com os dedos para finalizar o serviço sozinha, mas eu jamais perderia meu orgulho a ponto de fazer uma coisa dessas, nem que fosse de brincadeira, nem para provocá-lo. No instante em que me limpava, entendi que tinha acabado. Estávamos condenados e ainda não sabíamos. Era só uma questão de tempo.

 Uns dez dias depois, Alexandra pulou da sacada de seu flat no nono andar e morreu na hora. Deixou um bilhete horrível em que culpava os pais por todo o sofrimento que existe no mundo e pedia desculpas às amigas e colegas de trabalho, todos nominalmente citados. Dante, que tinha outra namorada e ao que tudo indicava mal lembrava de Xanda, recebeu uma mensagem de texto no celular dizendo que ela nunca tinha deixado de amá-lo. Julie e eu não conseguíamos encontrar palavras para conversar no velório. Só lembro dela me dizendo:

— Meu Deus, que cara é essa.
— Cara de tristeza. Tô triste.
— Você tá com uma cara de nojo.

Amanda chorava sem parar.

— Gurias, só quero ir embora desta cidade. Só consigo pensar nisso.

Passaram dias antes que a morte de Alexandra batesse. A frieza inicial com que recebi seu suicídio me fez ver o quanto, secretamente, eu a desprezava, e a emersão desse desprezo em minha consciência — nada sério, apenas reprovações tolas — trouxe consigo uma tremenda carga de culpa. Basta uma pessoa sair de nossa vida para que sentimentos negativos acumulados passem a ser vistos, em retrospecto, como ninharias. Palavras duras, comentários sarcásticos e sabotagens insignificantes que havia lhe dedicado retornavam agora à memória amplificados em crimes hediondos. Agora era fácil para nós, suas amigas, ver sinais de que essa era uma tragédia anunciada. O único conforto nessas situações é *explicar*. A máquina de explicar tritura e embala tudo. Até a aventura de Julie com seus comprimidos se transformou num prenúncio, numa *explicação*. Alexandra podia ser perdoada, mas não os que não fizeram nada a tempo de impedi-la, os que não queriam ver. Não era verdade, mas era a versão oficial, um acordo tácito entre os que ficaram.

Depois disso decidi duas coisas. A primeira é que eu ia parar de tomar sertralina, que me receitaram para transtorno do pânico meses depois da morte do meu pai e que de vez em quando eu ainda tomava meio sem critério para combater a ansiedade. Toda vez que eu parava, me dava palpitações e os ataques voltavam, mas senti necessidade de livrar minha mente, por mais fodida que estivesse, de todos os filtros e regulagens, nem que fosse uma medida temporária. Era como se carregasse em mim uma dor física anestesiada fazia tanto tempo que já não sabia qual era sua real intensidade, ou se sequer continuava lá. Agora eu precisava saber. Além disso, se queria engravidar, teria que parar de qualquer forma, pelo menos na primeira metade da gestação. Não que eu tivesse esperanças de engravidar de fato num futuro próximo, do jeito que as coisas andavam, mas tudo que fosse coerente com o mero desejo de ter um filho me parecia digno de ser posto em prática.

A segunda decisão é que eu passaria um tempo em Buenos Aires. Não sabia por quanto tempo nem exatamente por quê, mas era a coisa certa a fazer. O dinheiro do adiantamento pago pela editora argentina me permitiria permanecer lá por algumas semanas. Escondi essa decisão do Danilo até onde pude, por insegurança, mas uma semana antes da data marcada ele propôs me acompanhar na viagem à Argentina. Seria divertido, ele precisava de umas feriazinhas, Buenos Aires é romântica, vamos dançar tango, o câmbio está favorável. Falei que não. Iria sozinha. Ele se ofendeu um pouco. Então eu disse que não apenas iria sozinha como pretendia passar um tempo lá. Ele fez que não entendeu. Quis saber por quanto tempo. Chutei um mês. Ele fez que não entendeu. O assunto morreu e ressurgiu no dia seguinte durante o jantar num de nossos restaurantes favoritos. Ele quis entender por quê. Eu não soube explicar. Ele insistiu e disse que eu era louca. Eu disse que queria ter um filho. A menção "dessa coisa de filho" pôs o barraco abaixo e fomos para casa brigando. Pela manhã eu disse que estava tudo acabado. Ele disse que eu era louca. Eu disse que mesmo assim estava tudo acabado. Ele disse que me amava. Eu também o amava, mas mesmo assim. Ele disse que ia reconsiderar o assunto do filho. Mesmo assim. Ele perguntou para onde eu iria e o que faria da vida. Eu disse que ainda não sabia muito bem, mas passar um tempinho em Buenos Aires era um começo.

— Vai levar uma mala pra Buenos Aires e pronto? Simples assim? Acabou?

— É isso aí.

— E as tuas coisas? Teus livros aqui? Os móveis do teu pai?

Hesitei um pouco, mas disse:

— Foda-se, Danilo. Deixa tudo aí. Isso não é um problema. Não é uma questão.

— Quem disse que eu quero ficar com tudo que é seu? E se eu não quiser?

— Joga fora, vende. Não sei. Não complica mais ainda.

Nos poucos dias que antecederam a viagem, mesmo com as discussões, com as lágrimas, com a poeira de tragédias recentes ainda prejudicando a visibilidade em meio aos escombros, eu me pegava sorrindo por dentro nos momentos mais inesperados. Como eu podia ter me privado por tanto tempo do sabor das decisões drásticas, do prazer de derrubar uma pecinha de dominó e mudar tudo de forma irreversível? Atenta a essa sensação, eu pensava em coisas como um banho de sais numa imensa banheira de hotel, em glaciares desmoronando, em aviões realizando acrobacias, em mim mesma fazendo coisas que nunca tinha feito mas que só podem ser maravilhosas, como galopar um cavalo.

Uma aeromoça apareceu com algum tipo de spray enquanto outra explicava pelo alto-falante que as autoridades argentinas exigiam que a cabine do avião fosse pulverizada com um produto natural autorizado pelo Ministério da Saúde brasileiro. Contra que tipo de peste estavam nos pulverizando, isso ninguém se deu ao trabalho de esclarecer. O avião estava em procedimento de descida, e pela minha janelinha particular eu observava campos sem fim de um pasto verde-clarinho serem ocupados por construções cinza e sépia numa densidade cada vez maior até que Buenos Aires estivesse inquestionavelmente debaixo de mim. O pouso estava previsto para as cinco e meia da tarde e perto desse horário o sol poente emitia uma luz dourada que se comportava como uma neblina. Em vez de cobrir a superfície por igual, essa luz atravessava um céu parcialmente nublado em feixes que tingiam porções isoladas da paisagem, como se a posição das nuvens obedecesse aos comandos de um pintor celestial. Meus níveis de ansiedade vinham sendo altos nos últimos dias, agravados pela interrupção do meu remédio, mas nesse instante foi como se a beleza do panorama visto do avião invertesse a polaridade da ansiedade, que deu lugar a um arrebatamento tranquilo, talvez a sensação que as pessoas costumam descrever como "sentir-se viva". Uma visão mais nítida que o comum dava conta de tudo: da natureza, das minhas emoções, dos meus laços afetivos. O lançamento do livro passaria rápido e depois disso viria o imprevisível, por tempo indeterminado. Relaxei e voltei à fantasia do argentino anônimo que me conquistaria e fertilizaria, dessa vez sem culpa, sem resistência alguma. O avião descia devagar, devagar, como se não fosse chegar nunca.

2.

O taxista que me levou para o hotel no centro de Buenos Aires era um velhinho magricela e careca que fumou o tempo todo enquanto dirigia. As cinzas de seu Marlboro voavam para o banco traseiro. O primeiro cigarro ele acendeu sem maiores cerimônias, mas antes de acender o segundo lhe ocorreu perguntar se me incomodava. Respondi que não e decidi abrir a janela e acender um também. Trocamos apenas um punhado de frases curtas e resmungos, mas tive a impressão de que me viraria bem falando português e ouvindo espanhol. Depois de meia hora numa auto-estrada, passamos por uma grande placa pregando a reconquista das Malvinas e entramos na cidade. Já estava escuro e o cenário não me provocou nenhum estranhamento inicial, pelo menos até chegarmos, após demorado percurso por ruas engarrafadas, à região central onde amplas avenidas, prédios públicos imponentes de arquitetura neoclássica afrancesada, obeliscos e alguns marcos turísticos me deram certeza de estar noutro país. O Hyde Park Hotel era um três-estrelas no Microcentro, área que minhas prévias fuçadas internéticas tinham revelado ser o centro financeiro e administrativo de Buenos Aires, um amontoado de quarteirões regulares divididos por ruas estreitas que às sete horas da noite eram como gargantas barulhentas e luminosas ladeadas por prédios altos, entupidas de gente, comércio, veículos e uma concentração nauseante de partículas de carbono no ar.

Já no meu quarto, liguei a calefação, tirei a roupa, abri a mala, pendurei algumas peças no armário, levei meus produtos para o banheiro e tomei um banho demorado daqueles que só se toma em quartos de hotel. Quando saí de lá arrastando comigo uma nuvem de vapor, já estava atrasada. Martín, o rapaz da editora que tomaria conta de mim pelo menos até o evento de amanhã, viria me buscar às oito horas para irmos a um coquetel na embaixada brasileira. Tinha menos de quinze minutos para me arrumar. Liguei a televisão em busca de qualquer coisa divertida para escutar enquanto me vestia e após uma rápida zapeada por programas que pareciam cópias dos brasileiros, só que um pouco piores, me deparei com um bispo pregando para um grande auditório. Era um bispo brasileiro da Igreja Universal ou qualquer assemelhada, mas estava pregando em espanhol ou, para ser mais exata, no mais tosco arremedo de portunhol com que já havia me deparado. A platéia, que aparentava ser composta de cidadãos argentinos, não dava sinais de se importar. Desliguei a televisão. Sequei o cabelo e optei por um visual meio metaleira, com botinha, meu vestido de seda preta e o colar de metal com o símbolo da banda Nailbomb que eu tinha mandado fazer sob encomenda na adolescência e adorava usar até hoje. Exagerei um pouco na sombra e no rímel, pensei até em usar batom preto mas recuei no último instante, me contentando com um brilhozinho. Posei para o espelho. Magra e branca. Linda.

 Fiquei pronta às oito e quinze. O telefone do quarto só tocou às oito e meia. Desci e encontrei Martín no saguão. Era um carinha encolhido, de ombros estreitos, meio nerd. Usava óculos de aro de metal e tinha a barba por fazer. Mesmo assim, a seu modo, tinha um ar de certa superioridade que me atingiu à primeira vista. Talvez fossem as roupas: camisa riscada para dentro da calça e uma jaqueta de lã elegantérrima. Me estendeu a mão. Apertei, mas ao mesmo tempo me inclinei para cumprimentá-lo com um beijo no rosto, ao qual correspondeu sem embaraço algum.

— *Hola. Como estuvo eso? Largo el tirón?*
— Ahn... *Hola?*

Fiquei paralisada. Ainda ia precisar de uns dias para me acostumar à língua.

— Pode falar devagar? Mais... *despacito*, por favor?

A resposta só veio depois de uma pequena pausa e um sorriso malicioso.

— *Sí, por supuesto.*

No carro, Martín tentou me explicar no que consistia exatamente o tal coquetel. Estariam presentes alguns outros autores brasileiros que participariam da Feira do Livro, o adido cultural, o próprio embaixador, alguns autores e editores argentinos, gente de instituições culturais e quejandos. Eu tinha tanto interesse nisso quanto num encontro de cirurgiões bucomaxilofaciais. Martín notou minha reação e disse que não era necessário ficar muito, apenas o bastante para que me apresentassem a meia dúzia de pessoas diretamente responsáveis pela promoção da cultura brasileira na Argentina. Fiz o possível para reconhecer que essa política de boas relações era importante para a editora em que ele trabalhava (e que tinha me publicado e me pagado direitos e me trazido para cá), mas era difícil. Afinal, eu tinha um segredo por ora inconfessável: não estava nem aí para o meu livro, nem para a editora dele e muito menos para a promoção da cultura brasileira no exterior. Como se lesse em parte meus pensamentos, ele disse:

— Não se preocupe. Será muito rápido. Amanhã apresentaremos o livro na Feira e então você estará livre. Sei de um bom lugar onde tocam bandas de *heavy metal*. — Virou a cabeça e me olhou de cima a baixo com tanta franqueza que cheguei a me encolher um pouco no banco. — Estou enganado?

— Não, você me pegou, Martín. Uma vez metaleira, pra sempre metaleira.

— Motörhead tocará no Luna Park daqui a alguns dias.

Fiz um "lml" com a mão esquerda e sacudi um pouco a cabeça, deixando os cabelos caírem sobre a cara.

A embaixada brasileira ficava num palácio magnífico no bairro chique de Recoleta. Enquanto subíamos por uma escada em curva rumo ao salão principal, me arrependi de não ter me fantasiado de madame. Dizem que Buenos Aires foi construída com a ambição de ser a Paris dos pampas, e naquele momento entendi o que isso queria dizer. O salão, ocupado nessa ocasião por três ou quatro dezenas de convidados, era um museu de decoração francesa do século XIX. No teto, um formidável mural em que trapezistas balançavam sob um céu de nuvens tubulares como se estivessem de fato bem acima de nossas cabeças, criando uma eficiente ilusão de perspectiva. Após ligeiro exame, averigüei com alívio que muita gente além de mim estava vestida de maneira um tanto casual. E então fui sendo apresentada por Martín a uma série de pessoas: Bernardo Portela, adido cultural, um sujeito jovem demais para ser careca que fingiu ter lido meu livro mas só leu mesmo o meu decote; Dolores Vaquero, dona de uma rede de livrarias que me disse algo como "temos que trazer seus livros para as nossas livrarias" como se esse tipo de coisa dependesse de mim ou sequer me preocupasse; Vicente Imbrogiano, que vinha a ser meu editor argentino, um homem que me surpreendeu por sua juventude e modos nervosos, como se a presença naquele coquetel fosse um desconforto muito maior para ele do que para mim, o que não o impediu de assumir a posição de Martín, pegar gentilmente no meu braço e me apresentar a Carlos Coronel, embaixador do Brasil na Argentina, que não fingiu ter lido o meu livro e muito menos simulou qualquer interesse maior pela minha pessoa, cumprimentando-me com um sorriso generoso, desejando-me boas-vindas, pondo-se à minha disposição e logo retornando à conversa que mantinha com senhores de evidente importância distribuídos em cadeiras almofadadas ao redor de uma mesinha de centro redonda. Capturei uma taça de vinho tinto e um canapé de salmão. Mastiguei o canapé enquanto Vicente expunha o roteiro da apresentação do dia seguinte na Feira. O homem não conseguia olhar no meu olho e essa timidez tornava-o muito simpático. Perguntei-lhe se era permitido fumar ali dentro e ele recomendou que eu fosse à varanda. No caminho, enganchei meu braço no de Martín e o arrastei comigo.

— Fuma?
— Sim.

A varanda dava para o pátio dos fundos, na verdade um pomposo jardim cercado de enormes prédios residenciais, todos providos de varandas decoradas com muitas plantas e cobrindo a largura integral dos apartamentos.

— Que prédio lindo este da embaixada, hein?
— Muito bonito — disse Martín com o olhar perdido na semi-escuridão do pátio. — Palácio Pereda. É pastiche de um palácio francês. Quase idêntico.
— Ah é?
— Estive no original, em Paris. Hoje é um museu. Musée Jacquemart-André. Até a decoração é parecida.
— Hmm. Você morou em Paris?
— Fiz mestrado em filosofia na Sorbonne. — Isso foi dito sem nenhum traço de soberba.

— Que idade você tem, Martín?
— Vinte e seis.

Ficamos um tempo em silêncio, baforando fumaça branca na noite. Estava pensando em onde colocar a ponta do meu cigarro, pois não havia cinzeiros à vista, quando Martín arremessou a sua com um peteleco no meio do jardim. Deixei a minha cair discretamente lá embaixo.

— Será que já podemos ir?
— Creio que sim.

Dentro do carro, passei alguns minutos em silêncio tentando entender se minha vontade de convidar Martín para subir comigo no quarto do hotel era absurda, patética, inoportuna, apressada, equivocada, insana, ridícula, vulgar ou aviltante. Há tantos adjetivos no mundo que em certas ocasiões fica impossível escolher um só. Ou talvez essa abundância toda ainda seja insuficiente e certas ocasiões, sentimentos e coisas sigam sendo inadjetiváveis. Arrisquei um meio-termo.

— Martín, me leva pra sair.
— Perdão?
— Vamos pra algum lugar. Um restaurante, um bar. Um clube. Não quero passar minha primeira noite em Buenos Aires no hotel.
— É uma pena, mas tenho que voltar logo pra casa. Minha esposa está doente. Mas posso te deixar em algum lugar, se quiser.
— Não, não. Sozinha não. Pro hotel, mesmo.

Entrei no quarto e fui logo checar meu celular na esperança de encontrar ligações não atendidas, mensagens, qualquer coisa. O aparelho não pegava sinal na Argentina, é claro. Passei horas me revirando na cama, aterrorizada com a solidão acentuada pelo quarto do hotel numa noite sem calor nem toque, sentindo uma pilha de tijolos sobre o peito e aguardando para qualquer momento um ataque de pânico que graças a Deus não veio.

Acordei quase uma hora da tarde e almocei no Burger King. Passei a tarde perambulando pelo centro. Sou uma péssima turista. Não tenho paciência nem capacidade de organização para planejar e seguir roteiros, não entendo mapas e me sinto sem rumo quando estou sozinha em lugares novos. Passei em frente à Casa Rosada, que estava em reforma, com parte de sua fachada escondida atrás de andaimes e tapumes. Na Plaza de Mayo, um protesto. Uma bandeira argentina gigante estava sendo desenrolada no chão da praça. Me entregaram um adesivo. "*No a las papeleras. Municipalidad de Gualeguaychu*", um protesto contra a instalação de fábricas de papel. Fui até Puerto Madero e caminhei pelo calçadão. O rio de la Plata estava logo ali, em tese, mas uma vegetação feita de um capim muito denso e alto bloqueava a visão das águas em toda a extensão que percorri. Barraquinhas e trailers de *choripán* vendiam sanduíches na rua, com grelhas fumegantes cobertas de pedaços de carne e lingüiças. Comprei um refrigerante light e sentei no muro do calçadão, de onde pude vislumbrar um cemitério de milhares de embalagens de plástico multicoloridas boiando na água parada. Depois andei mais um pouco. O tempo todo tinha a sensação de estar indo em direção a lugar nenhum. Aquela parte de Buenos Aires me parecia tão *grande*. Avenidas grandes, prédios grandes, um imenso céu nublado. E eu pequena. E ansiosa. Abstinência de sertralina. Cansei e peguei um táxi de volta para o hotel. O motorista já tinha morado em Florianópolis, mas brigou com a mulher e voltou sozinho para Buenos Aires.

A 33ª Feria Internacional del Libro de Buenos Aires ocupava um lugar a que os portenhos se referiam como "La Rural", um grande parque de eventos ao lado da Plaza Italia, na avenida Santa Fe. A feira em si não diferia muito de qualquer bienal literária: um labirinto de estandes de livrarias e editoras com pilhas e mais pilhas de livros e cartazes anunciando descontos. Eram diversos prédios, todos com intenso movimento e climatizados por potentes aparelhos de ar condicionado que promoviam o extremo oposto do extraordinário calor que fazia na rua naquele princípio de outono, uma temperatura que estava tirando os portenhos do sério e alimentando debates sobre aquecimento global nas cafeterias e programas de auditório. Enxames de estudantes uniformizados percorriam os estandes com sacolinhas de livros. As meninas usavam meias-calças ou meias chegando quase aos joelhos, saias plissadas e blusinhas com a insígnia do colégio, e alguns modelos de uniforme chegavam ao requinte de ter gravatinhas, coisa que no Brasil só se veria num ensaio fotográfico fetichista de uma revista masculina. Encontrei Vicente e Martín no estande do Brasil. Dali fomos logo para o auditório onde aconteceria a palestra ou mesa de discussão ou bate-papo.

    A sala para cerca de cem pessoas estava cheia. No palco, uma mesa coberta por uma toalha preta, jarras d'água, copos e microfones sem fio. Havia quatro assentos: um para Vicente, um para mim, um para Lucía Merello — autora e crítica argentina, estudiosa da literatura contemporânea brasileira — e outra para Nicanor Benegas, editor de uma revista paraguaia de literatura latino-americana. Vicente abriu a mesa apresentando os participantes e falando um pouco sobre mim. Então anunciou que leria um capítulo do meu romance *Descripciones de la lluvia*. Tinham solicitado, dias antes, que eu mesma escolhesse um capítulo para a leitura. Pedi que lessem o último. Vicente protestou, mas insisti. Talvez porque achasse que essa fosse a melhor parte do livro, talvez pelo prazer sacana de fazer aqueles leitores potenciais ouvirem logo o final da história. Do meu ponto de vista, essa pequena auto-sabotagem caía muito bem. "Não diga a eles que é o último capítulo", escrevi no e-mail para Vicente. Soube que ele tinha acatado meu pedido quando vi o folheto bilíngüe que haviam distribuído a todos os presentes. O último capítulo do meu romance em português e espanhol. Vicente iniciou a leitura com sua voz terna e macia. Fui acompanhando no folheto aquele texto escrito por uma pessoa que, por incrível que pareça, eu já tinha sido:

A *água que vinha caindo do céu em gotas desde o início da tarde tinha dado à faixa de granículos rochosos uma cor mais escura, um cinza puxando para o bege. Magnólia preferia a praia nesse estado. A brancura resplandecente dos dias ensolarados feria seus olhos sensíveis. Era luz demais, quase insuportável. Seus olhos eram feitos para essas cores de agora, frias e desbotadas, que pareciam convergir para a tonalidade única de quando o mundo ainda era uma tela em branco. Seus pés descalços com unhas pintadas de bordô afundavam no solo cremoso e gelado e cada passo a aproximava da interminável superfície de água salgada. O horizonte do mar estava oculto pela cortina cinzenta da chuva. A rebentação, porém, estava bem visível e a visão era impactante. Montanhas horizontais de água erguiam-se a centenas de metros da praia e sucumbiam à própria força devoradora em explosões de espuma branca que eram reabsorvidas e novamente empurradas em direção ao continente até dobrar-se sobre si mesmas e sucumbir outra vez e assim por diante num padrão quase indistinguível do caos. Magnólia já tinha visto mares mais agitados, mas pela primeira vez lhe chamou a atenção a docilidade com que as ondas alcançavam a praia e esticavam-se ao máximo para em seguida escorregar de volta ao oceano e dissolver-se para sempre, cedendo espaço às próximas da fila. Quanta potência ostentavam a dezenas de metros dali, e quanta preguiça demonstravam ao alcançar seu destino, como se vencidas no último instante.*

Era impossível dizer onde estava o sol, mas calculou que eram três horas da tarde. O curto trajeto da casa até a praia fora suficiente para que seus cabelos se encharcassem e cobrissem as costas como uma placa maleável. Por baixo do biquíni e do tecido que lhe envolvia os quadris a pele estava arrepiada pelo frio. Não planejava ficar mais do que poucos minutos diante das ondas, mas sentia-se abraçada pelas gotas cadentes e separar-se delas para retornar ao ambiente escuro e mofado da casa tornava-se uma idéia cada vez mais indesejável. Tomás não despertaria tão cedo. Antes de sair, cobrira seu corpo cuidadosamente com o mesmo tecido de algodão já amarrotado e fedido que vinham usando para cobrir-se nas noites mais frias dos últimos trinta ou quarenta dias, ou quem sabe até mais. Já tinha perdido a conta. Estava com saudade da mãe. Queria poder telefonar e pedir seus conselhos, mas sabia exatamente que conselhos ela lhe daria, e não estava disposta a segui-los. Retornar era inconcebível. Agora existia apenas Tomás. Tudo se resumia a estar com ele.

O que sentia agora, entretanto, era um desejo intenso de ficar sozinha. Para a direita, a praia estendia-se cerca de um quilômetro. Estava, devido ao clima e à época do ano, totalmente deserta. Magnólia foi caminhando naquela direção. No início sentiu-se cansada e pesada. Um prato de macarrão com frutos do mar e duas taças de vinho branco pesavam no seu estômago. Tomás havia comprado aquele vinho direto do produtor numa praia das redondezas. Tinha uma cor dourada e gosto de suco de maçã. Se você fosse um vinho, seria esse, Tomás lhe dissera. Era o vinho menos doce que ela já tinha posto na boca. Como esse homem podia conhecê-la tão bem?

Caminhando, sentiu-se cada vez mais leve e desperta. Lembrou que a segunda ou terceira praia para o sul se chamava praia do Ouvidor. Decidiu descobrir se era possível chegar lá a pé. Acelerou o passo.

O inverno faz pessoas que se refugiam em praias desertas terem vontade de retornar para tudo que deixaram irremediavelmente para trás, para então entrar em depressão ou cometer suicídio. A não ser que tenham condições financeiras de abrir uma pousada ou qualquer outro negócio que as mantenha mais ou menos entretidas entre uma temporada quente e outra. Não era o caso dela e de Tomás. Para suportar o inverno, teriam de bastar um ao outro por meses e meses. Magnólia temia o inverno.

Alcançou um leito de água doce que desembocava no mar e dividia essa praia da seguinte. Era uma água salobra, verde e marrom, que corria pela areia em direção a um morro redondo e solitário que avançava sobre o mar e mal parecia capaz de absorver os golpes das ondas. O morro, isolado no meio da areia, distante de qualquer acidente geográfico semelhante, estava em improvável posição. Se um dia o nível do mar subisse, se transformaria numa diminuta ilha. Moradores locais tinham lhe contado que o morrinho abrigava um cemitério indígena. Encontraram ali numerosas pontas de flecha. No último instante, o rio desviava do morro e o contornava pela direita, desembocando no mar. Golfadas de espuma branca cobriam as rochas e espirravam para o alto com incrível força, indo de encontro à chuva que caía. Enquanto cruzava a barra com o rio subindo até o meio das coxas, sentindo na pele o calor surpreendente do líquido, Magnólia pensava, encantada, nessas combinações de diferentes águas. A espuma do oceano, salgada e impregnada de minerais, subindo de encontro à água doce da chuva. A água salobra de uma laguna escoando para o mar ao mesmo tempo que é alimentada por um rio. A água dulcíssima, viscosa e perfumada de um córrego no meio da mata fechada, formando poços e cascatas pela encosta de uma montanha. A água azeda e artificialmente azul de uma piscina clorada. Água, água, água. O que mais lhe fazia falta na praia em que haviam se refugiado era uma extensão de águas tranqüilas onde pudesse nadar sem preocupação, às vezes por uma hora ou até duas, como fizera durante boa parte de sua vida nas piscinas de diversos clubes. A violência desse mar a assustava. Era para ser visto, não visitado. Os mares, lagos e rios em geral gostavam dela. Convidavam-na. Tomás sabia disso. Sei para onde podemos ir, dissera meses antes. Tenho uma casinha na praia, em Santa Catarina. Já acabou a temporada. Só nós dois e o mar. Tem um rio perto. Tem cachoeiras nas redondezas. Para Magnólia, soara como o paraíso. Mas a água daquele lugar não ia muito com a cara dela. Se estranhavam. Fazia uns dois meses, pelo menos, que estava sedentária. Já percebia os músculos dos ombros e braços amolecidos. Permanecer agora ali debaixo da chuva era uma maneira de fazer as pazes com a água. Água doce que cai do céu em gotas vinha a seu encontro, escorria por seu corpo numa temperatura perfeita, entrava em sua boca com um sabor familiar.

Percorreu a praia da Barra sem prestar atenção ao fluxo desordenado dos próprios pensamentos, olhando quase o tempo todo para a frente, espiando de vez em quando as ondas à esquerda ou as casas de veraneio desocupadas à direita. A vida toda tinha sido tachada de intelectual, uma garota que pensava demais. A mãe chegara a dizer, em algum ponto de sua infância, que se não aprendesse a pensar menos e viver mais acabaria sendo uma pessoa infeliz. Nunca tinha esquecido daquilo. Era o mesmo julgamento que pareciam fazer seus colegas de colégio e até mesmo Tomás, quando a conheceu melhor. Uma vez, na cafeteria do cursinho, ele dissera: "Tenho medo de você quando fica pensativa desse jeito". Era uma coisa extraordinária para uma adolescente de dezessete anos ouvir de um professor.

Aproximando-se do final da praia, descortinou uma faixa larga de areia bege que subia pela encosta de um grande morro, tão *alto que ainda não era possível divisar seu topo no éter cinzento da chuva. A subida era íngreme e seus pés entravam fundo na areia, pisando aqui e ali em bolotinhas escuras cobertas de espinhos que furavam a pele com facilidade e precisavam ser removidas cuidadosamente com a ponta dos dedos. O caminho margeado de arbustos e vegetação rasteira fez uma curva para a esquerda, depois outra para a direita. Das nuvens até então silenciosas veio um trovão. Suas pernas já estavam cansadas mas o corpo, cada vez mais aquecido, lhe dava a impressão de fundir-se à natureza ao redor. Era como se houvesse sempre pertencido àquele ambiente e estivesse chegando ao fim de um longo retorno para casa.*

Quando alcançou o topo, deu de cara com uma nova paisagem, um mundo novo que ofuscava todo o trajeto percorrido até então. Estava no alto de uma imensa duna que terminava num precipício. Dali em diante, olhando para a frente, para o sul, a superfície de areia se estendia num belo padrão de ondulações suaves e degraus súbitos. Ainda mais adiante, campos verdes e uma lagoa escura. A chuva não permitia enxergar mais longe, mas era possível adivinhar a vastidão para além do ponto em que a visibilidade terminava. À esquerda, o oceano. O caminho de areia se transformava numa trilhazinha que avançava entre moitas espinhentas e levava, aparentemente, até a praia do Ouvidor, que dali podia ser vista por inteiro.

Sentindo-se cansada demais para prosseguir, Magnólia saiu da trilha, deu alguns passos em direção ao oceano e chegou a um pequeno declive coberto de folhinhas verdes, finas e picantes, que antecedia um penhasco de dezenas de metros de altura. Lá embaixo, vagalhões assustadores explodiam contra as rochas. Se saísse para a direita, seguiria caminho. Para a esquerda, voltaria para casa. Nenhuma das opções lhe interessava nesse momento, e estava absorvida pelo que a rodeava a ponto de acreditar que nenhuma delas jamais voltaria a lhe interessar. Escolheu uma pedra que parecia confortável e sentou-se, abraçando os joelhos.

Começou a chorar de mansinho e depois aos soluços, as lágrimas perdendo-se no rosto molhado assim como ela própria sentia diluir-se na chuva, no vento, nos trovões e no oceano. Tinha certeza, agora, de que não agüentaria permanecer mais um dia sequer naquela casa de praia mofada e lúgubre e que uma vida ao lado de Tomás seria inviável. Não é que não o amasse mais. Amava muito, em excesso, mas esse amor não tinha mais espaço e estava morrendo sob o próprio peso como uma baleia encalhada. Tinha arrancado aquele homem para fora de sua vida, de sua carreira, da mulher e dos filhos, e agora estava certa de que precisaria abandoná-lo para não enlouquecer. O sofrimento que tinham enfrentado no ano anterior não seria nada perto do sofrimento que os aguardava. Era tão injusto, e ao mesmo tempo tão inevitável, que pensar nisso a sufocava e causava dor física.

Sobre o mar, meia dúzia de pássaros negros sobrevoavam a água, ora batendo asas ora planando, e de tempos em tempos um deles parava em pleno ar por uma fração de segundo e depois mergulhava em linha reta, furando a superfície do oceano como uma flecha. Um deles emergiu após alguns segundos com um peixe na boca e ficou boiando enquanto se dedicava ao complicado processo de engoli-lo, indiferente à chuva ou à violência das ondas. Mesmo agora, naquelas condições adversas, vendo-os em plena batalha por sobrevivência, desejava ser um daqueles pássaros, um desses seres tão indiferentes às intempéries, criaturas sem sentimentos para as quais não há amor nem apego.

"Não deve ser à toa que existe qualquer coisa de milagroso e divino quando te encontro", dissera-lhe Tomás naquela festa, e a mesma frase que a derretera na outra ocasião agora parecia quase desprovida de sentido. Para crer nela era preciso crer no destino, no sobrenatural e em Deus, mas Magnólia não era muito afeita a nenhum desses conceitos. Dali onde estava, diante da visão do oceano monocromático e revolto, dos pássaros e de seus incríveis *mergulhos, sentindo o vento salgado e a água da chuva agirem sobre seu corpo até quase o dissolverem, tinha a convicção intuitiva de que a beleza dessas coisas estava intimamente ligada a sua natureza inerte, ao fato de que eram apenas elementos agindo ao sabor de leis desprovidas de intenção ou significado. Quanto mais tempo permanecia ali sentada, mais a fundo seus sentidos absorviam aquela paisagem e maior era a beleza de tudo, da paisagem e dela própria, pois já não havia diferença entre ela e o mundo. Era feita da mesma coisa de que a água era feita, da mesma coisa que os granículos de rocha esbranquiçados, que os animais alados cobertos de penas negras, que o ar se deslocando com fúria e encrespando as ondas, e não enxergava nada de divino nessas coisas nem em si mesma porque não havia necessidade de explicar nada, de preencher nenhuma zona obscura, nada disso. Bastava como era, como ela experimentava através dos sentidos. Estava livre, preenchia o mundo tanto quanto ele a preenchia, as trovoadas produzidas a grande altitude agitavam seus órgãos e nada nisso era misterioso, era tudo tão óbvio e bonito e completo sem precisar de Deus assim como sua vida não precisava de destino.*

 O homem surgiu de repente e postou-se a seu lado, ele estava nervoso e falava em ter seguido marcas de pés deixadas na superfície maleável de grãozinhos de rocha, alegava estar aliviado por encontrá-la, e um grande clarão foi seguido de um estrondo vindo de cima e em seguida as gotas d'água começaram a despencar do céu com mais e mais força e quantidade e as criaturas negras aladas que perfuravam a vastidão de água salgada desapareceram e o músculo dentro de seu peito disparou e quanto mais a intensidade de tudo aumentava mais um único elemento parecia incompatível com esse mundo e esse elemento estava em pé a seu lado com dois membros apoiados no chão e outros dois pendendo ao lado do corpo, os tecidos que o cobriam colados à pele, a face coberta de pêlos curtos, escuros e duros, os dois globos que lhe da-

vam expressão coloridos de um azul-claro que era totalmente incompatível com ela e com o estado de todas as outras coisas a seu redor, e como uma dobra da superfície do oceano que quebra sobre si mesma ou como uma daquelas pequenas esferas vegetais pontiagudas que penetravam a planta de um pé descalço ela agiu de acordo com todas as outras coisas e com as leis que as regem, seu gesto foi belo e inevitável, e a criatura a seu lado, aquele improvável arranjo de carne, despencou rente à parede rochosa e foi tragada para sempre pela espuma e pelas pedras.

Quando irromperam os comedidos aplausos, reparei que eu estava com a respiração presa. Algo no tom de leitura de Vicente, ou talvez o fato de estar submetendo aquilo à aprovação de um público estrangeiro, me fez acompanhar aquele último capítulo como se fosse mesmo o trabalho de outra pessoa, não meu. Pela primeira vez, vislumbrava como podia ser a recepção de um *leitor* àquilo. O estilo me constrangia, mas sem dúvida havia algo ali. Algo sendo dito. Lembro de quando comecei a escrever o romance. Queria expressar coisas que não sabia bem o que eram, queria imaginar uma vida em que houvesse uma mãe. Magnólia, minha personagem, tem mãe mas não tem pai. Era o contrário de mim, pelo menos quando comecei a escrever. No fundo, toda essa história de uma menina que gosta de nadar — como eu nadava, admito, na minha adolescência, manifestação de uma paixão pela água que se estendia a mares, rios, cachoeiras, chuva, chuveiros, banheiras — e que se apaixona pelo professor do cursinho — muito vagamente inspirado num professor de cursinho que tive, com o qual fiquei numa festa, um cara que usava bigode e, tá, paremos por aqui — e acaba fodendo com a vida de ambos era pretexto para imaginar livremente aquela mãe, dar-lhe uma forma definitiva, que ficaria no papel. Perguntava às minhas amigas sobre a relação delas com suas mães e lia coisas sobre mães e analisava personagens maternos em outros livros para construir aquela ausência na minha vida. Acho que sempre soube disso no íntimo, mas apenas agora, anos depois, ouvindo o texto em espanhol e acompanhando-o no folheto, eu *via* aquilo com clareza. A mãe foi descrita com base nas fotos da minha mãe e agia um pouco conforme as histórias sobre minha mãe que eram contadas pelo meu pai. Será que isso passava pela cabeça de algum leitor? Eu duvidava. Esse era meu significado particular para o romance. Quase nenhum leitor sabia que minha mãe morreu no parto e que meu pai enfiou o carro num poste quando eu ainda tinha vários capítulos pela frente. Perguntavam tudo sobre minha vida nas entrevistas, tinham especial interesse pelo tal professor de cursinho, mas nenhum repórter tinha motivos para suspeitar que eu era uma autora órfã. Escondia isso bem. Nas duas ou três vezes em que perguntaram, me neguei a comentar. E hoje eu odiava o livro. Meu pai não existia nele, um fato muito apreciado pelo meu psiquiatra para justificar a culpa corrosiva que se unia à outra suposta culpa inconsciente de ter *assassinado minha mãe* para me dar ataques de pânico do tipo que agora mesmo eu estava tentando evitar. Além disso, aquela visão trágica e fatídica do amor não me interessava mais. E não quero nem falar sobre a linguagem. Nada disso impedia, é claro, que outras pessoas encontrassem significados e idéias maravilhosas ali, a ponto de concederem prêmios ao livro e publicarem análises como a que Lucía Merello tinha começado a ler, e que de acordo com meu espanhol rudimentar dizia mais ou menos:

— ... ou seja, com *Descrições da chuva* Anita von der Goltz Vianna não apenas se inscreve na tradição de uma literatura feminina que evoca tanto Clarice Lispector quanto Lygia Fagundes Telles, mas usa-a como trampolim para alcançar novas alturas ou, numa metáfora mais em harmonia com o romance, mergulhar em águas ainda não desbravadas. Ao narrar com imensa habilidade a história de uma jovem brilhante e emocionalmente instável que se entrega a uma relação intensa com um professor de seu curso pré-universitário, Vianna revela como ama uma geração de mulheres para as quais o amor romântico dá lugar a um novo tipo de sentimento. Para Magnólia, o amor não é cego nem idealizado. A completude amorosa é apenas um fator dentro de uma busca mais generalizada por realização pessoal e afirmação da identidade. Ou pelo menos é o que parece, até que o lado mais irracional e visceral da paixão se impõe quebrando qualquer ilusão de controle dos protagonistas, cujo destino inevitável é a fuga e o isolamento. A linguagem de Vianna é preciosista com os detalhes e parece buscar uma contenção que é constantemente sabotada por arroubos de puro virtuosismo, com resultados quase sempre animadores. Conforme sua protagonista perde o controle de suas escolhas de vida e do rumo da relação com o intrigante Tomás, um professor de física vinte anos mais velho e caracterizado por um fervor religioso algo perturbador, a linguagem do romance também vai se tornando cada vez mais imprecisa. Substantivos são descartados em favor de descrições vagas e por vezes óbvias daquilo que representam, fenômeno que ganha voltagem total no último capítulo, quando a chuva se torna a "água que cai do céu em gotas". No inesperado e sinistro parágrafo final, a incapacidade de dar nome às coisas atinge o paroxismo: o ser amado torna-se nada mais que um ser "ereto a seu lado com dois membros apoiados no chão e outros dois pendendo ao lado do corpo" e é condenado, num gesto "belo e inevitável", ao mesmo destino das gotas de chuva. Convém, contudo...

Era um monte de besteiras. *Clarice Lispector*. Haja paciência. Nesse ponto parei de prestar atenção e dei uma boa olhada na platéia. Algumas pessoas me observavam. Dentre elas me chamou a atenção um homem que me fitava com particular intensidade, como se nada mais lhe interessasse naquele recinto, sobretudo a crítica de Lucía Merello. Me senti intimidada e desviei o olhar após um instante. Lucía terminou sua leitura e recebeu seus aplausos. Me virei para ela e sorri, como se agradecesse. Nicanor Benegas começou a falar sobre sua revista. Sua postura era bélica. Era preciso defender a literatura latino-americana das ameaças da invasão cultural imperialista. Achei que estava falando dos Estados Unidos, mas depois me dei conta de que o algoz era o Brasil. Olhei para Vicente. Estava apavorado. Sussurrou no meu ouvido: "Não sei quem é esse cara. Foi colocado na mesa de última hora. Na verdade, ele nem está no programa". Nicanor encerrou seu discurso sem mencionar meu livro uma única vez. E então o público foi convidado a fazer perguntas. Uma senhora espantosamente maquiada quis saber o que eu estava achando de Buenos Aires. Respondi muito devagar, e ela ficava fazendo que sim com a cabeça sem parar enquanto ouvia o resumo das incríveis aventuras que eu tinha vivido até o momento. Depois um rapaz meio hippie xingou Nicanor e começou a dar exemplos de que a literatura latino-americana ia muito bem, inclusive no mercado editorial brasileiro, até que foi interrompido pela contra-argumentação do paraguaio. Vicente conseguiu, com alguma dificuldade, abafar o bate-boca. Eu olhava fixamente para o meu copo d'água quando uma voz um pouco grave e um pouco rouca, e apesar disso muito mansa, fez nova pergunta dirigida a mim.

— Anita. Por que Magnólia empurra seu amante do penhasco no final do romance?

Foi como se a lança de um selvagem escondido no mato me atravessasse o peito de uma hora para outra. Ergui a cabeça e vi que o microfone estava na mão do sujeito que me encarava antes. Era uma figura alongada e aprumada que mesmo erguida dava impressão de estar em posição de descanso. Tinha olhos pretos, uma barba densa e bem aparada e cabelos desgovernados como é do gosto dos homens argentinos. Não era velho. Trinta e cinco anos, não mais. Estampava no rosto uma expressão de absoluto interesse. Olhava dentro de mim, ávido por uma resposta. E eu não sabia o que responder. Por que ela o empurra? Mas será que ela o empurra? O final do romance era meio onírico, a personagem está divagando, dissolvendo-se. Podia ser a imaginação dela. Ou não. A verdade era que aquele final me viera à mente sem maiores intenções. Eu não conhecia o final do meu livro até o instante em que precisei escrevê-lo. Ela o empurra, real ou simbolicamente. Mas por quê? Muitos leitores tinham suas teses. Eu não. Talvez Magnólia se desse conta, naquele instante, de que tudo que aconteceu foi um erro. Ou que foi correto, natural, porém acabou, e seguir vivendo exigiria uma atitude drástica. Não, não. Não era bem isso. Não tinha nenhum grande significado. Era só para ser um choque. Uma sacudida final que aturdisse o leitor e o forçasse a rever tudo que aconteceu até então com uma visão fresca. O sujeito continuava me encarando e eu não sabia o que dizer. Era um cara bonitão. A palavra *"novella"*, do modo como a pronunciou, ficou reverberando na minha cabeça.

— Bem... é que... qual o seu nome?
— Holden.
— Holden. É uma pergunta difícil de responder, mas eu diria que...

E então eu disse qualquer coisa.

3.

Quando penso no meu pai, quase sempre o imagino aos domingos, no verão, dias em que gostava de ficar em casa só de chinelo e bermudas, cozinhando e escutando rádio. Fazia feijoada ou picanha assada no forno, uma panela de arroz, uma salada caprichada. Às vezes me levava para comer fora, mas só quando eu pedia. Entre meus treze e dezesseis anos, mais ou menos, naquela idade em que preferimos não fazer nada na companhia de um pai, eu tratava de combinar um almoço na casa de uma amiga ou um passeio no shopping aos domingos e o deixava desacompanhado, e mesmo assim ele fervia sua feijoada ou assava sua picanha e almoçava sozinho. Eu chegava em casa e o encontrava capotado no sofá com o jornal aberto sobre o peito, um copo de uísque na mesinha, televisão ligada quase sem som, e me sentia culpada. Quando fiquei maior, voltei a dedicar os domingos a ele, nem que fosse um pouco contra minha vontade. Minha presença em casa nesses dias lhe bastava. Os domingos, para ele, eram a medida do nosso afeto. Desde que seguíssemos convivendo numa boa naquele dia específico, tudo estaria bem entre nós. De repente eu já era uma moça de vinte anos e ainda tinha o dia do papai. Em alguns domingos íamos ao cinema ou ao teatro à noite, mas na maioria deles ficávamos o dia todo em casa mesmo, conversando, assistindo à televisão. Quando tinha jogo do Palmeiras ele assistia e eu lia um livro com a cabeça deitada em seu colo.

A biblioteca que tínhamos em casa não era dele. Eram livros deixados pela minha mãe, que era professora de história. Sua fome de livros fez que acumulasse uns mil volumes em seus vinte e sete anos de existência. Meu pai os guardou, mesmo que ele próprio nunca os lesse. A estante com fileiras duplas de livros era seu monumento em memória à esposa, e desde criança aquela muralha de textos exerceu fascínio sobre mim. Lia os livros de história, dicionários, enciclopédias, romances, volumes de contos e poesias. Muitos estavam sublinhados à régua e anotados com a caligrafia miúda e precisa de minha mãe, sempre com caneta azul. Ainda pequeninha, com dez ou doze anos de idade, eu abria um livro atrás do outro somente para investigar aquelas inscrições que talvez me ajudassem a conhecer um pouco mais da mulher que tinha me carregado na barriga e perdido a própria vida para que eu existisse. Minha mãe se interessava pela Guerra do Paraguai e por animais marinhos. Chamavam-lhe a atenção as divagações existenciais dos personagens dos romances, e quase toda reflexão que tratasse de livre-arbítrio ou do significado da morte era destacada e por vezes comentada com um lacônico "Bom" ou algo misterioso tipo "Como naquele dia em maio de 76: se Deus existisse...". Em vez de levar essas anotações ao meu pai e perguntar se ele tinha algo a dizer sobre elas, eu as guardava como se fossem um segredo meu — e era possível que fossem, porque meu pai realmente não se interessava pelos livros, não devia ter folheado mais que uma dúzia deles na vida — e as cotejava com fotografias e depoimentos familiares para criar minha versão particular da minha mãe, um ser fictício que eu não cansava de imaginar e desenvolver. Sabia de seus olhos azul-celeste e do rosto magro, pacífico, um pouco sardento, mas era obrigada a inventar ou pelo menos reinventar sua voz, seus gestos, suas possíveis reações ao que eu dizia, ao que sua filha havia se tornado. Minha mãe foi meu primeiro personagem. Ao mesmo tempo, a leitura dedicada da biblioteca deixada por ela fez despertar meu gosto pela literatura e, quando eu já tinha uns dezesseis ou dezessete anos, meu interesse pela escrita. Até que ali pelos vinte anos comecei a escrever um romance que era um pouco sobre mim, um pouco sobre minha mãe como eu a imaginava e outro tanto sobre ninguém em especial, apenas uma tentativa de afirmar que eu podia criar por conta própria o tipo de ficção que tinha um papel tão importante na minha vida, o tipo de ficção que havia encantado uma mãe e uma filha e criado um vínculo entre elas, mesmo que ambas jamais tivessem respirado simultaneamente sobre a terra. Escrevia nas horas vagas da faculdade de jornalismo, sem pressa, sem pensar em publicar. Já estava formada e quase chegando ao que seria a versão final do livro quando meu pai perdeu o controle do carro, bêbado, depois de uma partida de pôquer com amigos numa noite de sexta-feira, e faleceu. Não foi um acidente particularmente grave, mas a lateral do carro colidiu com um poste e o poste colidiu com o crânio do meu pai, que rachou como uma casca de ovo. E então foram seis meses de caos emocional, desespero, atestado de óbito, inventário, advogados, as presenças insuficientes de uma avó paterna e um avô materno velhinhos demais e sem condições de me ajudar, o apoio pontual de um tio que morava em São Paulo e outro em Manaus e algumas temporadas na casa da Julie até que eu pudesse distinguir qualquer espécie de trilho no meio da tempestade. Meu livro foi publicado e vendeu mais que o esperado e isso me deu um pouco de prestígio e um pouco de dinheiro, mas para mim o romance estava enterrado junto com meus pais. Conheci Danilo, nos apaixonamos, ele me adotou. Tudo que eu estava pedindo da vida agora era uma família. Mas lá estava eu, sozinha em Buenos Aires, recém-solteira, com dinheiro para umas três semanas, sentindo falta do meu pai num domingo ensolarado em Palermo, saindo de uma cafeteria com dois cálices de vinho tinto na cabeça, carregando numa sacola um casaquinho de lã de um xadrezinho rosa, roxo e creme, bem justinho, com capuz, que tinha comprado pelo equivalente a quase duzentos reais numa butique encantadora da rua El Salvador, já um pouco arrependida da extravagância, pisando no carpete fofo e úmido de folhas de plátano acumuladas sobre as calçadas minadas de dejetos caninos, folhas que enquanto eu andava continuavam sendo arrancadas dos galhos por rajadas de vento outonal e despencavam na rua em turbilhões melancólicos que só faziam agravar minha sensação de abandono numa cidade que tentava todo o possível para me mimar com passeios públicos generosos e planos, gente bonita e elegante, comida deliciosa e barata, livrarias aconchegantes e fatias de torta de chocolate com doce de leite que pareciam ter meio quilo e me deixavam enjoada na quinta garfada. Mas as boas intenções de Buenos Aires não estavam bastando. Pensava no meu pai e sentia uma pena terrível dele por ter morrido por uma besteira, por ter sido tão bondoso e desajeitado comigo e por ter passado metade de sua vida me convencendo de que eu não era culpada de nada.

O calor que oprimia a cidade desde minha chegada durou ainda uns cinco dias, talvez uma semana. Eu fazia todo o possível para me sentir bem naquele lugar, mas era impossível não encarar o clima como um equívoco completo. A capital argentina parecia um animal encolhido na sombra, transpirando pela língua, sedenta do frio e da umidade a que seu corpo tinha se adaptado durante décadas de evolução. As pessoas na rua marchavam contrariadas por terem de andar com tão pouca roupa, os cardápios dos restaurantes desculpavam-se por oferecerem menus tão fartos e encorpados e todos aqueles homens bonitos que a infestavam andavam depressa e bufavam, irritadiços, aguardando as condições naturais favoráveis para manifestar na plenitude a soturnidade e o charme que juravam possuir através de olhares impacientes ou até um pouco desesperados. Acuada como eles por esse frenesi tropical, procurei visitar parques como os bosques de Palermo e o Jardim Botânico, onde passei uma tarde inteira sentada à sombra observando os gatos blasés que habitam o lugar às centenas deixando trilhas de patinhas de barro seco sobre a tinta verde dos bancos e as pessoas, em sua maioria mulheres, que ficavam por ali lendo, namorando, lendo, dormindo, lendo, fotografando e lendo — como liam naquele Jardim Botânico! E eu precisava cortar o cabelo.

Pedi dicas de uma boa *peluquería* a uma mulher que atendia numa loja de sapatos (aproveitei para levar uma botinha curta de couro) e, entre um daqueles cortes em camadas caóticas esfiapadas ao extremo e um visual meio Valentina, duas tendências que identifiquei, acabei optando pelo segundo. Um palmo e meio de meus fios negros foram parar no piso do salão em questão de segundos. Saí de lá com o *"pelo"* na altura da nuca, caindo pelos lados como lâminas contundentes que terminavam em duas pontas rentes à mandíbula. Na testa, uma franja grossa e reta. Fui me exibir numa cafeteria com ar condicionado onde um *moccacino* veio acompanhado de duas *medialunas* fofas recém-saídas do forno.

Ainda impregnada dessa euforia passageira, tive a impressão de estar sendo observada através da vidraça por alguém na rua. Não consegui ver direito, porque o vidro estava parcialmente coberto por tinta ou adesivos decorativos da cafeteria e no instante em que olhei na sua direção ele se escafedeu. Provavelmente só estava espiando o interior do estabelecimento, pensando se entrava ou não ou procurando alguém que não encontrou. Lembrei na hora do sujeito que me perguntou a respeito do final do meu romance dias antes no evento da Feira do Livro. O vulto me remeteu à sua barba densa e à jaqueta de couro preta que vestia na ocasião. Após o encerramento da apresentação, que contou ainda com meia dúzia de perguntas e um último estertor do paraguaio Nicanor Benegas em favor da literatura latino-americana de guerrilha, a primeira coisa que fiz foi procurar o homem no meio do público em retirada, mas não o encontrei. Ainda fiquei uns quinze minutos plantada na porta do auditório, conversando com Vicente e Martín, esperando que ele aparecesse. As pessoas que fazem perguntas em eventos desse tipo quase sempre aparecem depois para um contato mais pessoal. Gostei da sua resposta. Li seu livro. Comprarei seu livro. Você é muito bonita, pronto, já disse. Você já leu fulano? Algum projeto novo? Vai daqui para algum lugar? Vamos beber umas no bar tal, se quiser aparecer. Mas aquele cara, Holden, não apareceu. Sumiu. Martín nunca o tinha visto, mas Vicente estava quase certo de tratar-se de um jovem escritor local. "Ele disse que se chama Holden? Pode ser, não lembro bem do nome dele", disse. "Eu acho que é Diego, mas o sobrenome me escapa. Lembro bem de seu rosto porque ele comparecia a muitos eventos e leituras, depois sumiu. Publicou um romance faz uns anos, mas ninguém leu. Edição independente." E depois daquele dia eu o esqueci. Ou talvez não. Talvez minha memória dele tenha permanecido arquivada numa camada muito interna da minha consciência como uma possibilidade desperdiçada, uma conexão que apenas se insinuou mas nunca se estabeleceu, porque para tanto seria necessário saltar de um trem em movimento. Mas e se eu não precisasse saltar? E se ele tivesse se agarrado ao último vagão e estivesse agora mesmo grudado no teto, avançando aos poucos em minha direção?

    Estava completando minha segunda semana naquele quarto triste do Hyde Park Hotel. Cada dia ficava mais deprimida e já tinha gastado o dobro do planejado em presentinhos com os quais tentava me animar e que já somavam dois casacos, um vestido, um par de botas, uma dúzia de livros e diversas degustações em confeitarias. Martín me levou para jantar e conheci sua esposa, uma ilustradora que tinha estudado artes em Nova York e demonstrou sua impressionante criatividade inventando inúmeras formas sutis de manifestar o ciúme que sentia de mim, o que apenas me despertou um desejo irracional de hipertrofiar o interesse que tinha por seu marido, resultando numa tensão que foi divertida na hora mas me deixou de ressaca emocional depois. Pensava em sair do hotel e tentar alugar um quartinho ou um apartamento, mas a verdade é que minha convicção estava ruindo. Liguei para a Julie duas vezes e ela me dizia que talvez eu devesse voltar para São Paulo, que minha viagem já tinha servido a seu propósito. Pedi para ela vir a Buenos Aires. Queria companhia para sair. Nunca fui capaz de ir a festas sozinha. Mas Julie não podia. Estava de volta à ativa. Sua dança e seus namoros-relâmpago a prendiam no lugar.

    Numa dessas passagens pelo "locutório" fui conferir meus e-mails e encontrei Danilo no MSN. Tivemos uma daquelas conversas remotas horríveis em que cada mensagem instantânea parece mais insuficiente que a anterior para comunicar o que de fato queremos dizer. Comecei fingindo estar alegre e ele fingindo tristeza. Logo ficou claro que eu estava mal e ele bem. Eu achava que ele também devia estar mal e ele achava que eu também devia estar bem, até que fiz a besteira de perguntar se ele já tinha trepado com alguma putinha e ele fez a besteira de ceder à provocação e admitir que sim, o que gerou uma troca de acusações e censuras tão injustas quanto mal compreendidas pelo interlocutor. Nossa intimidade era tanta que eu podia identificar mais ou menos seu estado de espírito por meio das palavras que escolhia usar e da velocidade ou estrutura com que as enviava: as frases curtas e jocosas denotando bom humor, as frases mais elaboradas e pausadas denunciando raiva e frustração.

Era uma quinta-feira do início de maio. Dali a uma semana aconteceria o show do Motörhead, a dica que Martín me deu no dia de minha chegada. Resolvi comprar um ingresso e prometi a mim mesma que não desistiria de Buenos Aires antes de ir ao show, apenas para me dar um prazo de qualquer tipo. Saí do hotel ali pelas quatro da tarde e fui caminhando pela avenida Corrientes até a esquina com a Bouchard, onde ficava a casa de espetáculos Luna Park. O céu era uma redoma de chumbo e logo começou a chover. Acelerei o passo e fui driblando uma massa de pedestres que parecia pouco se importar com os pingos grossos que extraíam do asfalto um odor calmante de borracha e fuligem. Paguei oitenta pesos pelo ingresso na bilheteria e a chuva aumentou. Fiquei uns vinte minutos parada sob a marquise do Luna Park, sem a menor idéia do que fazer a seguir. Um mendigo bem-vestido parou a meu lado e começou a falar em espanhol. Tirei os fones de ouvido mas não entendi nada. Fiz que sim com a cabeça. Instantes depois ele me ofereceu um cigarro. Aceitei e me confortei com sua presença. Meu mp3 player tocava aleatoriamente canções de folk americano que em sua maioria tinham sido gravadas ali por Danilo e resultavam numa trilha sonora perfeita para a noite prematura que se abatia sobre a cidade. Mas elas me faziam lembrar de Danilo e eu precisava me desligar dele. Naveguei pelos menus do aparelho e escolhi um disco de uma banda pesadíssima de *sludge metal*, uma das *minhas* bandas. Como adaptando-se ao cenário de um novo videoclipe, a chuva cessou e saí caminhando em frente. Fui parar na Plaza de Mayo e dali continuei em direção a San Telmo. Quando cheguei à rua Balcarce, uma sucessão apavorante de trovões abriu alas para o dilúvio. Fazia muito tempo que eu não via um temporal como aquele. Me protegi do bombardeio de água sob o toldo de um restaurante fechado. Em questão de segundos a rua estava inundada. A água espirrava de todos os lados e não havia jeito de não se molhar. Um rapaz de boné e pasta debaixo do braço que compartilhava o mesmo refúgio desistiu e saiu correndo no meio da rua. Desliguei o mp3, guardei na bolsa e corri até o bar situado na calçada oposta, uns trinta metros adiante. O toldo ali cobria a calçada inteira. Era um bar grande, com balcão comprido, várias mesas pretas, cafeteria e até um forno a lenha revestido de ladrilhos espelhados que refletiam a iluminação rosa e azul do ambiente. Uma banda de rock clássico estava passando o som num palco oculto atrás de uma imensa porta de metal fechada. Meia dúzia de pessoas fumavam na rua. Fiquei ali com eles, olhando a chuva. A cidade, com seus prédios sólidos e topografia plana, agüentava bem o açoite. De tempos em tempos um garçom saía do bar e usava uma haste de ferro para esticar as lonas do toldo e despejar a água acumulada sobre a calçada. Espantosamente, a força da chuva e do vento não parava de aumentar. De repente, a estrutura de um dos toldos veio abaixo. Quem ainda estava na rua entrou no bar. A porta de metal abriu e a banda apareceu, vestida de preto, cabeluda e tatuada, pedindo múltiplas *cervezas*. Pedi um *espresso*. Não tinha terminado o café e a luz caiu. Correria. Ligaram um gerador e as lâmpadas voltaram a brilhar, mas o sistema de som que tocava rock'n'roll argentino permaneceu calado. Fiquei muito tempo ali sentada ouvindo música nos fones. No mínimo uma hora. Nesse tempo todo, a chuva não aliviou. Quando finalmente se reduziu a um chuvisco inocente, paguei o café e saí andando. Já tinha andado por San Telmo antes, visitado a famosa feirinha de antigüidades da Plaza Dorrego num domingo e tudo mais, mas nessas novas circunstâncias o lugar havia se transformado num mundo completamente diferente. A maior parte do bairro estava às escuras depois do temporal. Os relâmpagos iluminavam por décimos de segundo as ruas estreitas revelando os pavimentos de pedra, os prédios antigos, os mercadinhos, os onipresentes *kioskos* e um eventual transeunte. De vez em quando os faróis de um automóvel rasgavam aquelas ruazinhas silenciosas e empoçadas. Uma viatura de polícia passou devagar com as luzes da sirene ligadas e seu piscar azulado transformou a sombria alameda Chile num ambiente de *rave* evacuado. Fazendo conversões a esmo de um quarteirão para o próximo, eu só pensava que minha solidão devia ter chegado ao clímax, que todas minhas impressões durante aquela caminhada noturna não tinham valor nenhum se não pudessem ser compartilhadas com alguém, e eu não conseguia pensar em ninguém para compartilhar nada. Me via separada de todos — pela distância geográfica, pela morte, pela variedade muito particular de autismo que me impedia de acreditar na possibilidade de conhecer gente nova nesse pedaço de mundo em que tinha me enfiado.

Cheguei a um quarteirão de San Telmo que por algum motivo ainda tinha energia elétrica. Numa de suas esquinas havia um bar. Era um estabelecimento muito antigo com piso de lajotas formadas por pastilhas hexagonais brancas, vermelhas e verdes, bastante gasto e encardido pelo tempo. Todos os móveis eram de madeira escura e as paredes estavam revestidas de cartazes anunciando produtos antigos, um deles com uma pintura de um pote primitivo de Toddy. O balcão era decorado com um deslumbrante arco de madeira com vitrais azul-esverdeados e um relógio no centro. Quase todas as mesas estavam livres. Sentei numa mesinha individual ao lado da janela e pedi uma taça de vinho. Eram oito horas da noite. Tirei da bolsa um dos livros que tinha comprado: um relato autobiográfico de um pioneiro que viveu décadas sozinho na Terra do Fogo. Estava em destaque na livraria e era baratinho. Comecei a ler para matar o tempo e não consegui mais parar. Não tinha nem cem páginas e logo passei da metade. A história de vida do cara era envolvente, mas sobretudo havia nos depoimentos uma candura enfeitiçante. Eu reclamando da minha solidão e aquele sujeito tinha passado doze anos de sua vida no mais completo isolamento, num dos lugares mais remotos do planeta, e dava impressão de ter sido feliz em todos os momentos. Quase no fim do livro havia um capítulo chamado *"Mi esposa"*. Esse homem tinha ido a Buenos Aires convencer uma moça de vinte e dois anos a casar com ele e ir viver na Terra do Fogo. Levou seis meses, mas conseguiu. Os parágrafos que tratavam da chegada do casal aos confins do mundo transpiravam uma alegria infantil. Quase nada tinha sido revelado sobre a mulher, mas então meus olhos chegaram à seguinte frase:

> *Duisa era de poco hablar y observaba todo a su alrededor, porque le gustaba mucho mirar la cordillera, ya que se había criado en la provincia de Buenos Aires.*

Interrompi a leitura. Minha quarta taça de vinho estava por um fio.

Duisa era de poco hablar y observaba todo a su alrededor, porque le gustaba mucho mirar la cordillera, ya que se había criado en la provincia de Buenos Aires.

Me deu um nó na garganta. Imaginei Duisa na varanda da casinha de madeira instalada numa estância solitária da baía Aguirre, calada dias a fio, num frio danado, cercada de ovelhas, longe do grande centro urbano onde cresceu, olhando a cordilheira enquanto é observada em segredo pelo marido que décadas depois, aos noventa e tantos anos, idade em que forneceu os depoimentos que compunham o livro, teria pouco mais que isso a dizer sobre ela. Duisa olhando a cordilheira, várias vezes por dia, sempre que as tarefas domésticas e maternas lhe davam trégua, às vezes por horas seguidas. O olhar cravado nas montanhas nevadas e o marido registrando esse hábito como a expressão máxima de sua personalidade. Fechei o livro. Não conseguia entender aquilo. Tive a certeza de estar ficando louca de vez. Bebi o resto do vinho, abri de novo o livro e li as vinte e poucas páginas que restavam. Duisa era citada mais algumas vezes, sempre com palavras laudatórias. Os partos de seus filhos eram mencionados, sendo que num deles precisou ser levada a Buenos Aires, pois havia muito risco. Mas não surgiu mais nada que se comparasse àquela imagem pura e veneradora de um homem descrevendo a jovem esposa como uma mocinha calada que gostava de ficar olhando para as montanhas. Voltei para a frase. Sublinhei. Dobrei a pontinha da página. Reli cinco, dez vezes, tentando entender por que me abalava tanto.

Já eram dez e pouco da noite e eu estava bêbada. Pedi a conta. Na rua, após o temporal, à vontade com o avançar da noite, os portenhos caminhavam sozinhos ou acompanhados de cônjuges ou cachorros. Enquanto aguardava o retorno do garçom, um casal passou pela calçada empurrando um carrinho de bebê. Tinham-no vestido com botinhas marrons e um macaquinho branco estampado com bichinhos cor-de-rosa. Já não chovia, mas a cidade continuava encharcada. Bem diante da minha janela, o bebê pegou a chupeta com a mão e atirou longe. O bico de borracha aterrissou na sarjeta imunda e a criança abriu o berreiro. A mãe recolheu a chupeta do chão e olhou meio aflita para o companheiro, sem saber o que fazer. O homem tomou a chupeta da mão dela, pôs na boca, chupou bem até julgar que estava limpa e introduziu-a na boca da criança, que se calou. Eles se abraçaram e seguiram empurrando o carrinho.

Peguei um táxi e pedi para me deixar em qualquer lugar de Palermo, onde talvez eu pudesse me perder no agito noturno, conhecer alguém, esquecer de Duisa e dos filhos dos outros. Andar a esmo por Buenos Aires não estava me aproximando do objetivo de ser mãe. Essas ruas não me reprovavam. Era pior. Elas me ignoravam. O motorista disse que Palermo estava inteiramente inundado, não havia como chegar lá de carro. Dei o endereço do maldito Hyde Park Hotel.

Cheguei lá, dei uma gorjeta absurda para o taxista, tropecei pelo saguão até a recepção, peguei minha chave e fui informada de que tinham me deixado um recado. No bilhete anotado à mão estava escrito:

Para Anita:
Llámame por favor. 4535-4346. José Holden.

Uma caligrafia cheia de linhas retas e meio inclinadas, como se escritas em itálico. Entrei no quarto trêmula, fiquei um minuto sentada na cama, peguei o telefone e disquei o número. Alguém atendeu no primeiro toque mas não disse nada.

— Alô? *Hola?*
— Anita?
— É, sou eu.
— Achei que você não ia ligar. Sorte que a chuva me prendeu no trabalho.
— Acabei de chegar no hotel.
Não entendi o que ele disse em seguida.
— Como?
Ele falou mais devagar.
— Finalmente um dia em Buenos Aires que combina com você.
— Combina comigo?
— A chuva. Você gosta de chuva, não?

    A Confitería Ideal ficava a poucas quadras do hotel, na rua Suipacha. Mesmo com suas belas luminárias antigas irradiando intensa luz branca, a fachada não chamava a atenção e era possível que eu já tivesse passado por ali meia dúzia de vezes sem reparar naquela espaçosa cafeteria com as paredes cobertas de painéis de madeira e preenchida por dezenas de mesas com toalhas amarelas e marrons. Eram sete horas e o dia já tinha escurecido quase por completo. O interior também era um tanto escuro e àquela hora não havia um único cliente, com a discreta exceção de José Holden. Estava sentado numa mesa ao fundo, perto do balcão, e a primeira coisa em que reparei foi na ausência da barba revelando um rosto com maxilar maciço e ainda assim algo triangular e ressaltando a cabeleira negra, volumosa e embaraçada. Me fez pensar num cachorro que nunca foi domesticado, um bicho meio desvairado, descabelado, mas ao mesmo tempo muito seguro de si. Me aproximei pisando forte, estalando o salto das botas no piso ocre e brilhoso. "José?", perguntei como uma idiota, pois não podia ser mais ninguém, e ele fez um pedido veemente para que o chamasse de Holden. Holden levantou-se para me cumprimentar com um beijo no rosto. O garçom veio e pedimos cafés e *medialunas*. O meu puro, o dele com leite.

Para quebrar o gelo, Holden perguntou o que eu estava achando de Buenos Aires. Era o primeiro argentino nas duas últimas semanas que falava comigo devagar o bastante para que eu pudesse compreender quase tudo o que dizia. Tentei dar um relato otimista, mas não fui convincente. Perguntou se eu andava *aburrida*.

— É. Entediada. *Un poquito* — arrisquei.

Ele deu um sorrisinho que me lembrou a reação de Martín quando o encontrei pela primeira vez no hotel e arranhei uma e outra palavra em espanhol. Minha pronúncia devia ser engraçada. Os alto-falantes tocavam uma estação de rádio que alternava rock progressivo instrumental com a voz grave de um locutor que lia notícias e anúncios. Aquilo não combinava nem um pouco com as colunas imitando mármore e os primitivos ventiladores de metal evocando hélices de um velho navio. Os avisos proibindo o fumo, em obediência a uma recente lei antitabagista, também eram um tanto anacrônicos. O ambiente da Confitería Ideal era feito sob medida para ser um templo do consumo de tabaco. Comentei que era estranho um lugar tão tradicional estar tão vazio.

— No fim da tarde, em dias de semana, está sempre assim — disse Holden. — Por isso sugeri que viéssemos aqui nesse horário. Gosto deste lugar vazio. A atmosfera é incrível.

— Sei. E como você descobriu em que hotel eu estava?

— Liguei para a sua editora. — Sacou meu livro de dentro de algum compartimento misterioso do forro da jaqueta de couro preta. — Falando nisso... autógrafo, por favor?

Enquanto eu rabiscava "para José Holden na *increíble atmósfera de la* Confitería Ideal às 19h — maio de 2007 — Anita von der Goltz Vianna" e pensava que a editora dificilmente entregaria meu endereço em Buenos Aires ao primeiro que ligasse, o garçom deixou os cafés e as *medialunas* sobre a mesa. Após um silêncio incômodo, ele começou a dar uma de fã. Disse que meu romance era a coisa mais formidável que tinha lido em muito tempo. A edição havia chegado às livrarias uns dez dias antes do lançamento, tempo suficiente para que o lesse e relesse. Continuei ouvindo como se estivesse interessada em seus elogios, mas estava absorta em minhas próprias observações: o modo como falava quase o tempo todo olhando para o lado, não como se fitasse algo atrás da minha cabeça mas para o lado mesmo, a noventa graus de mim, porém me encarando de vez em quando com uma incrível intensidade, os olhos negros bem abertos, redondos, um olhar do qual era impossível desviar até que ele próprio decidisse romper o elo; sua boca cheia e um pouco escura; o rosto que trazia à mente a infinidade de músculos faciais que passamos a vida inteira ignorando existir; a camisa branca impecável por baixo da jaqueta gasta e as ondas de seriedade que emanavam dele. Não parecia alguém que faria uma brincadeira. Cada palavra que enunciava vinha com a garantia de ter sido escolhida a dedo, de conter um significado que não podia ser ignorado. Pensei que daria um pai chatíssimo. Quando parou de falar, perguntei:

— Você é escritor também, não é?
— Eu? Não.
— Não?
— Não, não.
— Mas Vicente, meu editor, me disse que você tinha um livro.

Holden se fechou. Virou uma criança emburrada por alguns segundos. Era mais jovem do que julguei quando o observei de longe na platéia da Feira. No máximo trinta e dois. Bebeu um gole do café com leite e me encarou.

— Publiquei um livro faz muito tempo.
— Não vem com essa, você é jovem. Quero ler.
— Está esgotado.
— Você deve ter um em casa, me dá de presente.
— Não. Não tenho nenhum.
— Vou procurar nas livrarias. Tem em livrarias?

Ele ergueu as sobrancelhas informando que não sabia nem queria saber. Ia perguntar o título, mas preferi não arriscar. Ficou óbvio que a questão era delicada e tratei de mudar de assunto. Poderia procurar mais tarde pelo nome do autor. Pedi dicas do que fazer na cidade. Ele citou a Manzana de las Luces com seu acesso a túneis do século XVIII e mais dois ou três lugares aos quais gostaria muito de me levar. Tentei adivinhar seu signo e errei. Pensei Câncer, mas era Áries. Aí ele começou a perguntar coisas sobre mim. A manifestação natural de curiosidade converteu-se num interrogatório interminável. Em geral esse tipo de coisa é irritante, mas dessa vez foi diferente. Falei de mim por meia hora, como se o conhecesse havia milênios. Queria desabafar todos os acontecimentos recentes que tinham me levado a ficar em Buenos Aires mas ele insistia em perguntar do meu passado, do qual eu não queria falar tanto. Fez perguntas estranhas. Se eu estava namorando alguém quando escrevi meu livro. Se eu já tinha lido certos autores franceses. Ficou interessadíssimo pelas mortes que haviam marcado a minha vida. Queria saber em detalhes o que eu tinha sentido na ocasião de cada uma. Era fácil falar dessas coisas em outro país para um homem atraente e quase estranho que sabia ouvir com atenção e não retrucava nem oferecia suas próprias histórias em contraponto. Quando

cansei de me confessar, ele pagou a conta e, para meu espanto, me pegou pela mão e me rebocou em direção à saída. Pouco antes de alcançarmos a porta, perguntou:
— Vamos subir?
— Onde?
— Há uma milonga no andar de cima.
Não tinha reparado na escadaria de mármore próxima à entrada. Os degraus estavam polidos por décadas de pisoteio. Faziam uma curva para a esquerda e davam num guichê com uma portinhola ao lado. Ainda no meio da escada escutei uma música inaudível para quem estava na cafeteria do térreo, um tango antigo. A portinhola dava acesso a um grande salão onde cerca de vinte casais, a maioria de meia-idade, executavam lentos passos de dança. Em conjunto, eram um organismo vivo que reagia ao vocal angustiado e ao rasgo estridente dos violinos num padrão vagamente giratório, em sentido anti-horário. Durante todo o tempo que passamos sozinhos lá embaixo, esse outro mundo secreto seguia seu curso no pavimento superior. Tirei a máquina fotográfica da bolsa mas a moça atrás do guichê avisou que era proibido registrar. Holden entregou-lhe alguns pesos.
— Vamos?
— Ah, não — tremi. — Não sei dançar tango.
Mas ele me pegou de novo pela mão e entramos.
Ninguém prestou muita atenção em nós e isso me deixou mais à vontade. Mas eu ainda não sabia o que fazer. Holden me mostrou a posição em que nossos braços deveriam ficar e pôs uma das mãos na minha cintura. Ficamos parados, retinhos, um na frente do outro. Tentou me explicar como fazer uma *"salida simple"*, o que envolvia um passo para o lado, um giro e outro passo, mas não deu muito certo. De qualquer forma entramos na *ronda* e tentei reproduzir uma seqüência de quatro passos que ele me explicou com muita paciência, me conduzindo com

gestos firmes que aos poucos, conforme eu aprendia os movimentos, foram se tornando um abraço maleável. Isso era coisa para Julie, não para mim. Quando o pavor inicial passou, descobri que seu corpo estava me dando ordens que eu era capaz de ler, ainda que como uma semi-analfabeta.

— Tá bom assim — falei. — Não inventa mais nada.

— Shhh, escuta a música — sussurrou. — Para dançar tango tem que escutar a música.

Malena canta el tango
con voz de sombra,
Malena tiene pena
de bandoneón.

Tu canción
tiene el frío del último encuentro

Eu não entendia tudo, mas o que entendia bastava para exercer algum tipo de efeito amaciante na minha espinha. De repente a tensão foi embora e consegui me entregar. Estávamos dialogando com os outros pares no salão. Pela primeira vez desde que tinha chegado àquela cidade eu me sentia experimentando algo verdadeiro e extraordinário. Algo que estava compartilhando com alguém. Existia apenas para aquele momento. Tinha quase esquecido dessa sensação de não estar à espera de nada.

Tus ojos son oscuros
como el olvido,
tus labios apretados
como el rencor

Quando a música estava quase no fim, esbarrei em outra mulher. A dança acabou e pedi para irmos embora. Na rua, o trânsito ainda estava intenso e o frio tinha aumentado bastante. Holden consultou o relógio. Pediu desculpas e disse que tinha um encontro particular com uns amigos. Não consegui dizer que queria vê-lo de novo. Pedi que me acompanhasse até o hotel.

— Que bonita a letra daquele tango. Como se chama?
— "Malena". De Homero Manzi.
— Olhos escuros como o esquecimento. Lindo.
— Essa mulher, Malena, existiu — disse Holden. — Era argentina, mas Manzi a viu cantar no Brasil.
— Sério?
— Sim. Malena era seu nome artístico. Foi criada em Porto Alegre. Manzi a viu cantar tango no Brasil e depois escreveu a letra em sua homenagem. Há um detalhe cruel nessa história. Por muitos anos, Malena não soube da existência da canção. Estava no México quando a escutou pela primeira vez. Ficou tão impressionada com a figura da mulher descrita no tango que desistiu para sempre de cantar. Julgou que nunca estaria à altura da Malena do tango de Manzi.
— Nossa. Malena foi destruída pela personagem que inspirou.

Holden parou no meio da calçada. Me olhou com um espanto incompreensível. Parecia estar refletindo com todas as forças.

— *Sim*. Exatamente.

Arregalei os olhos e fiz que sim com a cabeça. Ele continuava ali plantado. A seu lado, um poste todo coberto de cartazes e panfletos. Num deles, com um desenho de um rosto barbudo cercado por um halo luminoso, lia-se "METAFISICA — Linea Conny Méndez — Grupo metafisico de Buenos Aires", com contato telefônico e e-mail. Cada coisa nessa cidade.

— Vamos?
Seguimos. Em frente ao hotel, ele tirou uma caderneta de outro bolso de mágico de sua jaqueta e rabiscou alguma coisa.
— Este é o endereço da minha casa. Fica em Palermo. O ônibus 68 passa perto. Se quiser, apareça lá qualquer dia à noite, menos no domingo. Podemos jantar ou sair pra beber, se quiser.
— Ahn... tá bom. Não tem telefone?
— Só o do trabalho mesmo, mas nem sempre estou lá.
— Nem celular?
— Está quebrado. Tenho que comprar outro.
— Certo.
— Foi um prazer.
— Foi.
Um beijo no rosto e lá se foi ele.

4.

Alexandra vivia nos dizendo que tudo na vida tem um propósito, nada é por acaso. Dizia isso para os outros e sobretudo para si mesma quando a existência se tornava um pouco inesperada ou dolorosa demais para o seu gosto, como se para cada tumulto o destino reservasse uma compensação orquestrada por uma benévola ordem superior. A trama de causas e efeitos dessa reparação cósmica podia estar oculta na esteira de nossos sofrimentos, mas cedo ou tarde seu diagrama ganharia nitidez e poderíamos dizer a nós mesmos: eu tive de passar por aquilo. Foi necessário para que algo belo acontecesse, para que a justiça se cumprisse, para que eu me tornasse uma pessoa melhor. Para mim, esse modo de ver as coisas tinha pelo menos duas falhas. Em primeiro lugar, se o destino opera por um mecanismo de compensações, é certo que ele também compensa nossos momentos de felicidade e conquista com algumas rasteiras bem dadas, mas Xanda ficava furiosa quando eu chamava sua atenção para esse fato. A seu ver, as noções do bem e do destino eram exclusivamente interligadas. A balança pendia apenas para um lado, o lado conveniente. Se acontecia de pender para o outro, era sob o efeito de algum tipo de conspiração benigna cujas razões o futuro haveria de nos revelar. Mas a trama de causas e efeitos nos joga tanto para cima quanto para baixo. É apenas isto: causa e efeito. Não há desígnio superior. Há ações e reações. Méritos e deméritos. A segunda falha era a seguinte: com um pouco de criatividade e convicção, inúmeras tramas de causa e efeito podem ser desenhadas por diferentes pessoas, ou até mesmo por uma única pessoa, para relacionar dois ou mais fatos determinados. Se Alexandra queria encontrar um propósito benigno numa infelicidade, cedo ou tarde ela o encontraria. Sua mente ergueria a ponte necessária para que sua explicação do mundo se justificasse. Ela aguardaria com paciência o episódio venturoso que poderia ser interpretado como resultado de um revés anterior. A vida lhe ofereceria um, com certeza, ficando mais uma vez provado que o sofrimento é apenas prelúdio para a felicidade — uma perspectiva que, no caso dela, provou ser insustentável. Mas às vezes um revés é apenas um revés. É comum ficarmos sem compensação nenhuma para um desastre, uma agressão, um erro, uma doença, o fim de um amor, a perda de uma pessoa amada. É uma questão de perspectiva, ou de fé. Nascemos com um prazo limitado para interpretar o mundo. Fazemos o que podemos. O legado de todos que nos precederam nesse esforço pode ajudar ou confundir, e em última instância ninguém nunca prova nada. Atribuir um propósito superior a um lance qualquer da vida é construir uma ficção muito pessoal. Dar sentido ao mundo é um ato criativo. Uma visão de mundo é uma narrativa.

Nunca achei que a felicidade estivesse à minha espera. Alexandra era uma crente, eu era uma pragmática. Sabendo disso eu compreendia por que, naquele momento, fazia sentido interpretar os acontecimentos recentes de minha vida como uma conspiração para que eu conhecesse José Holden. Não acreditava racionalmente nisso, não havia nenhuma espécie de indício, mas eu estava no controle e poderia lhe atribuir a função que bem entendesse. Incorporá-lo ou não à trama que protagonizo era uma escolha, e eu a fiz.

Sábado à tarde, desci do metrô na estação Ministro Carranza e testei a costura das minhas botas cruzando uma passagem subterrânea que parecia alagada de sangue, mas era apenas um espelho de água da chuva que, acumulada no piso, refletia o vermelho escuro do teto. Trêmulas lâmpadas fluorescentes apenas contribuíam para deixar o ambiente mais sinistro. O fim da escada dava numa "*plazoleta*" tristonha decorada com banquinhos, um busto e algumas palmeiras e cercada por uma cafeteria e pelos trilhos do trem de superfície com suas margens cobertas por uma massa de folhas em decomposição e o colorido pálido do lixo inorgânico. Tudo estava encharcado de chuva e o dia parecia agarrado a um longuíssimo entardecer. Uma luz entre o castanho e o rosa afagava as folhas verde-amarelas, os troncos camuflados dos plátanos, o asfalto e as paredes cinzentas de construções baixas que ficava difícil dizer se eram residenciais, comerciais ou ambos. Fui caminhando por essas ruas quase livres de trânsito, parando apenas para consultar um par de vezes o mapa que tinha desenhado antes de sair do hotel.

A casa de Holden ficava em Palermo Viejo, perto da avenida Santa Fe, numa parte do imenso bairro que permanecia fora do alcance dos restaurantes finos, das butiques e da boemia sofisticada que aglomerava portenhos e turistas. A rua Ciudad de la Paz cruzava com a Dorrego e erguia-se numa pequena ponte de mão dupla com as pistas divididas por uma faixa de cocorutos amarelos. A ponte era coberta por uma estrutura de vigas de metal cruzadas e passava por cima dos trilhos. À esquerda e à direita da ponte, duas ruazinhas de pedra muito estreitas, da largura de um automóvel, davam acesso a casas simples cujas fachadas eram quase idênticas entre si: uma porta entre duas janelas com venezianas. Entrei na ruazinha da direita, com numeração ímpar, e encontrei a casa de Holden. A porta de sua casa era diferente de qualquer outra: uma porta de ferro preta com dois recortes simétricos em forma de gotas invertidas, selados atrás por lâminas de vidro amareladas. Da pontinha inferior de cada uma dessas aberturas nascia uma rosa de ferro também pintada de preto. A da esquerda era maior que a da direita e seus caules enfolhados inclinavam-se um pouco na direção da vizinha, como se quisessem olhar-se.

Holden abriu a porta e quase me matou do coração.

— Puta que pariu!

— *Hola*.

De dentro da casa vinha um blues antigo rodando numa vitrola.

— Como sabia que eu estava na porta?

— Não sabia que era você. Enxerguei o vulto pelo vidro e, como ninguém bateu, vim conferir quem era. Mas entre, está frio.

A sala era enorme. A primeira coisa que chamava a atenção era um grande lustre de metal dourado do qual pendiam círculos concêntricos de gotas de vidro, as periféricas mais curtas que as centrais. Uma antigüidade, quase impotente em sua capacidade de fornecer luz a tanto espaço. O jogo de sofás de cinco lugares também era antigo e o tecido avermelhado estava gasto e encardido. Em contraste, havia uma poltrona de couro moderna com uma luminária tipo pedestal e uma curiosa estante de livros que tomava uma parede inteira. Não se tratava bem de uma estante, mas de um conjunto intrincado de prateleiras de madeira que desenhavam uma espécie de labirinto ocupado por centenas de livros empilhados em ângulos variados. Tudo estava um pouco bagunçado e empoeirado e praticamente não havia luz natural. Era difícil dizer se a pessoa que morava ali tinha bom ou mau gosto, muito ou pouco dinheiro. O ambiente todo era uma colagem insólita em meio à penumbra.

Holden me fez sentar e me ofereceu vinho tinto. O velho sofá não era confortável. Assim que acomodei a bunda nele, pulou no meu colo um gato siamês magrela e cremoso, um feixe de músculos coberto de veludo. Passei a mão em sua cabeça e o gato começou a me dar mordidas e arranhadas no pulso. Tentei afastá-lo mas isso só o estimulou.

— Choripán! — disse Holden, levantando-se e tirando o gato de cima de mim.

— Furioso o teu amiguinho, hein?

— Ele pensa que é um cachorro. Que pode sair mordendo e dando patadas nas pessoas. — Jogou o gato no corredor e o bicho foi embora, dançando, sem olhar para trás.

— Cadê a vitrola?

— Vitrola?

— Onde tá tocando esse disco de blues?

— É no meu Macbook. — Apontou para um pufezinho verde sobre o qual descansava o computador portátil conectado a enormes caixas acústicas de algum sistema de som primitivo, mais uma combinação inusitada. As canções vinham envoltas numa cortina de chiados e estalos que fortaleciam a aura mítica dos lamentos da cantora, uma voz fina e viscosa como a de Billie Holiday, mas que soava mais juvenil. Era a terceira música que eu escutava e todas até agora eram quase idênticas, repetições de um mesmo tema com sutilíssimas variações. Em vez de enjoarem, era como se seu efeito se acumulasse. A música convertendo-se gradualmente em pura sensação.

— Você não tem seu livro aí? — perguntei após alguns minutos de papo furado, apontando para a estante labiríntica.

— Não. Falei que não tinha mais nenhum exemplar, lembra?

Mentira. Até eu tinha exemplares do meu livro em casa. Nenhum autor se desfaz por completo de seus livros. Agora Holden estava descalço, fumando, vestindo uma calça largadona e uma camisa preta com as mangas dobradas e os dois primeiros botões abertos. Sua barba estava crescendo de novo. Eu a imaginei subindo pelas minhas pernas. Raspando minhas costas.
— Onde é o banheiro?
— Segunda porta no corredor.
Entrei levando meu copo e não fiz nada. Esperei um pouco, puxei a descarga. Banheiro meio sujo. Ou velho. Ou os dois. Pêlos na pia. Escova, creme e fio dental, desodorante, sabonete, espuma de barbear, lâmina. Mais nada. O trem passou retumbando lá fora, parecia estar muito perto da janelinha basculante.

Quando abri a porta, Holden estava passando pelo corredor com uma garrafa de vinho fechada na mão, creio que retornando da cozinha, e não dissemos palavra alguma, sequer trocamos um olhar. Estava com meu cálice na mão e ao desviar o braço para evitar um choque eu o contornei ao mesmo tempo que ele interrompia o passo e girava um pouco para acomodar minha nova posição — não muito diferente da saída de tango que havíamos ensaiado na Confitería Ideal. Minha mão estava quase pousada em seu ombro, sua mão segurando a garrafa quase encostava na minha cintura, os dois olhando para baixo, para nossos pés ou barrigas. Encostei meu rosto no dele e pronto.

A janela do quarto de Holden estava com as persianas fechadas e a escuridão ali era maior que a da sala. Ele acendeu um abajur na mesinha-de-cabeceira e tirou a camisa. Tinha um piercing em cada mamilo, dois bastonetes prateados e tão discretos quanto podiam ser na posição sensível que ocupavam. Não tive tempo de interpretar suas diversas tatuagens, registrei apenas o contorno de um touro gravado no abdômen antes que ele me mandasse tirar a roupa. Não era uma sugestão carinhosa nem um pedido e muito menos um indício de que ele próprio tiraria minha roupa. Era uma ordem. Estava me encarando com uma plácida expectativa. Acatei, ressabiada, tentando manter um olhar de desafio no rosto. Tirei o casaquinho, a blusa, as botas, as meias, o sutiã. Meu jeans era apertado e eu esperava que ele me ajudasse. Sinalizei, mas ele não entendeu. Me puxou pela mão e pediu para tirar o resto da roupa dele. Obedeci mais uma vez.

— Me ajuda. — Apontei novamente para a minha calça. Puxou tudo junto, jeans e calcinha, e arrancou tudo fora como pôde. Comecei a achar que tinha alguma coisa estranha. Não que ele estivesse sendo rude, mas estava muito claro desde os primeiros instantes que ele é quem dava ordens. Foram só alguns segundos frente a frente até que ele agarrasse meu corpo inteiro e me mandasse virar de bruços ao mesmo tempo que tratava de realizar com as próprias mãos sua vontade como se eu não passasse de uma boneca, como um guindaste recolhendo uma pedra aqui e largando mais adiante. Tive a consciência de que tudo que acontecesse a partir dali naquela cama também dependeria das ordens e desejos dele. Me virou de bruços, beijou minha nuca, minhas costas, começou a me chupar por trás, e eu ali decidindo se essa atitude me incomodava ou excitava, mas não havia o que decidir, eu estava me entregando por completo à condição de ser manipulada por um homem que não tinha perguntado o que eu queria, que não me conhecia nem fazia a menor idéia do que eu gostava e muito menos parecia se importar, por ora, com nada disso. Essa sensação de ser usada não era algo a que estava acostumada, até porque Danilo era um desses homens obcecados em dar prazer e que o fazem com tanta dedicação e perícia que transformam qualquer trepada rápida num jogo intrincado de estatísticas e resultados. Era capaz de coisas incríveis, mas por vezes seu empenho em não gozar antes da hora (e nesse caso, às vezes, a idéia de *hora* adquiria uma perturbadora literalidade) ou em extrair de mim certos indícios de êxtase que deviam preencher alguma cota desnecessária dentro de sua cabeça arruinava tudo. Mas Holden estava se servindo de mim com impositiva liberdade, me babando toda, agarrando a minha bunda e me empurrando cada vez mais em direção ao pé da cama como se minha existência neste mundo tivesse esse propósito exclusivo. Havia um espelho por ali. Pelo canto do olho, eu o vi colocando uma camisinha. Foi certeiro ao meter em mim instantes depois. Me ajeitou de modo a me deixar bem de frente para o espelho e foi me comendo com força, ondulando seu corpo inteiro, os braços nos lados da minha cabeça. Eu me encarava no espelho e via uma Anita com expressão de perplexidade, como se estivesse me reconhecendo depois de anos sem lembrar quem era, a maquiagem já um pouco bagunçada, a boca escancarada e os olhos arregalados visíveis por trás da franja desfeita, tendo o corpo sacudido pelo pau de um desconhecido que agora era pouco mais que um vulto em ação por trás de mim, uma puta espantada que se flagra fechando os olhos de verdade e descobre que está gostando — porém tarde demais, porque ele gozou, se contorceu um pouco, saiu, jogou o preservativo longe, deitou de costas ao meu lado e ficou me fazendo carinho nas costas.

    Botei a mão em sua barriga, ele estava suado. No braço direito, entre o cotovelo e o ombro, duas rosas negras com os caules espinhentos em arranjo helicoidal, como numa molécula de DNA, nunca se tocando. Dentro do touro desenhado no abdômen estava escrita a palavra "carne". Havia também uma cruz enfiada numa caveira, no lado de dentro do braço esquerdo, o tipo de tatuagem que se faz cedo demais na vida. Ele não falava nada. Fiquei quieta também. Uns minutos depois, foi ao banheiro e voltou com a garrafa de vinho e o saca-rolhas. Abriu a garrafa, encheu meu copo, bebeu e passou-o para mim. Tomei quase tudo e devolvi. Ele terminou com uma golada e pôs o copo no chão. Mais uns minutos deitados e começou a me dar sono. Ele me acariciava, mas parecia estar pensando em outra coisa. Quando eu estava quase dormindo, pegou minha mão e pôs em seu pau. A toda. Maior que antes. Após uma certa esfregação, me disse para ficar em pé. Dessa vez me deu raiva. Foi legal antes, mas não estava pronta para mais uma rodada de servidão. Mas dali em diante a história foi outra. Ele continuava no controle, mas seus objetivos me incluíam. Me prensou de costas contra a parede fria, botou outra camisinha que tivera o cuidado de posicionar estrategicamente à mão e me comeu de pé, olhando para mim. Foi me desmanchando aos poucos, baixei a perna e fiquei com os dois pés no chão, as coxas grudadas e mesmo assim ele metia com a maior facilidade, me beijando o pescoço, colado aos meus quadris, sussurrando coisas que eu não entendia e que o tornavam ainda mais desconhecido para mim, e quando gozei foi de tal forma que ele precisou me segurar com os dois braços para que eu não desabasse no chão.

As ondas estavam agitadas, quebrando nos rochedos, e a chuva caía com força, mas do alto do penhasco o oceano parecia morno e convidativo. Abracei meu bebê no colo com firmeza e saltei, atingindo a água depois de segundos, em pé. Estávamos afundando, eu e meu filho. Eu teria de soltá-lo para usar os braços e perseguir a superfície, mas não era necessário. A água salgada invadiu meus pulmões e depois de um rápido desconforto passei a tirar dela todo o oxigênio de que precisava. Olhei para o bebê. Sorria para mim, encantado com o turbilhão de tons de azul e colunas de microbolhas ascendentes e belugas rosadas e cachalotes sisudos que circulavam ao nosso redor em pequenos núcleos familiares, mães e filhotes, primos e tios, todos nos espiando com cetácea curiosidade. Um narval mosqueado se aproximou e quase nos roçou com sua presa imensa, um cômico unicórnio das profundezas, um bicho que deu errado. O fundo do oceano se esboçava à medida que descíamos. Eu queria muito chegar lá e me aninhar com minha cria no leito abissal. A densidade da água domesticava a gravidade e íamos afundando devagar para em breve pousar num berço de areia fofa cercado de anêmonas translúcidas e coloridas.

— Anita! Anita!

Holden me sacudia com força.

— Ahn...

— Você não estava respirando.

Esfreguei os olhos e levei um bom tempo para lembrar quem era aquela pessoa e onde eu estava.

— Achei que você estava morta.

Fazia muito tempo que isso não acontecia. Mas não era a primeira nem a segunda vez. Quando durmo, minha respiração se reduz a quase nada. Meu peito não se move, não produzo nenhuma espécie de ruído. E meus pés e mãos estão sempre gelados. Some-se isso ao fato de que minha pele é branquíssima e o resultado são carinhas de primeira viagem me sacudindo no meio da madrugada. Expliquei a Holden. Ele riu e deu um tapinha na minha bunda.

— O que é essa tatuagem no seu ombro? — perguntou.

— Um símbolo de uma figueira. Peguei num dicionário de símbolos.

— Simboliza o quê?

— Um *monte* de coisa. Tem esta aqui também. — Mostrei a panturrilha. — Esta é uma caveira do metal. Adolescência.

Não havia indícios de luz nas frestas da persiana. Me enrosquei um pouco nos lençóis, estava frio. A cama quase não ti-

nha cheiro. Na verdade, Holden quase não tinha cheiro. Era misterioso. Não tinha cheiro nenhum, nem bom nem ruim, natural ou artificial. Até seu hálito era neutro. Comecei a cheirá-lo.
— Você não tem cheiro — disse farejando sua axila.
— Claro que tenho.
— Não! Nenhum. Em nenhum lugar. Passa um perfume, homem.
— Não gosto de perfume.
— Vou te dar um perfume de presente.
Acoplei nele e ficamos um tempo quietos, despertos. Nossos corpos se encaixavam com muita facilidade. Passei a mão na minha perna.
— Olha como tá minha pele. Lustrosa.
Ele passou a mão na minha coxa, encarando o teto.
— O que você viu em mim, Holden?
Quieto.
— Você veio atrás de mim. Você me seguiu? Tive impressão de que você me seguiu. Duvido que a editora tenha te passado meu endereço.
Quieto.
— Por que se interessou por mim?
— Não sei.
— Me conta.
Nada.
— Eu quero ouvir.
Fitando o teto, pensativo.
— Preciso ouvir.
Virou de lado, me olhou e disse algo que, a princípio, achei ser piada.
— Preciso de você.
Mas era sério. Ele me encarava com a intensidade de um *bad boy* de novela fazendo cena romântica. Já tive a sensação de

acordar na cama ao lado de outra pessoa no dia seguinte, mas isso era extremo.

— Nossa. Pra quê?

— Você me fascina. O que você escreve me fascina. Sua idéia de amor me fascina. As coisas que você faria por amor. É a mesma idéia que eu tenho.

— Qual é a minha idéia de amor?

— Você sabe do que estou falando.

— Não! Você está falando de algo que escrevi? O que eu faria por amor?

Ele estava falando do que a protagonista do meu romance faria por amor, é claro. Tive pena de dizer que ele tinha dormido com Anita, não com Magnólia. Que eu renegava o livro que ele tanto adorava. Isso podia ficar para outra hora. Era até conveniente que ele precisasse de mim, mesmo que por motivos equivocados, pois eu também precisava dele. Sim, ele servia.

— E não é só isso. Sinto que você também precisa de mim.

— Rá!

Minha risadinha foi de escárnio, mas na verdade eu estava surpresa com o eco de meus pensamentos em suas palavras. Levei a conversa para um lado seguro.

— Você acha que já me apaixonei por você? Quanta presunção.

— Não sei. — Ele me olhou. — De qualquer modo, não precisamos nos apaixonar.

Holden não era musculoso, mas era forte e magro, o que salientava toda a estrutura de seu corpo. Passei o dedo pelo feixe de tendões, ossos e músculos que saía de seu cotovelo e descia pelo antebraço. Não consegui dizer nada mais elaborado que:

— Você é maluco.

— Não sou, não. Sei muito bem o que quero.

Somos dois, pensei.

* * *

Almoçamos numa bodega chamada El Gallego. Havia fileiras de presuntos pendurados no teto e garrafas plásticas de água gaseificada sobre as mesas de madeira com superfície de fórmica bordô. Pedi um cozido de carneiro com batata. Holden não pediu nada, mas lhe trouxeram um bife de *chorizo* do tamanho de um travesseiro de avião e uma salada mista. Provei seu bife. A carne desmanchou dentro da minha boca, ou melhor, se *despedaçou*, o que é bem diferente. Ofereci umas batatas do meu cozido mas ele recusou.

O garçom era a cara do Roberto Benigni e ficou nos enchendo o saco, perguntando a Holden onde ele tinha arranjado a "*brasileña*", me olhando com lascívia teatral.

— O que você faz nos domingos à noite?

— O que quer dizer? — Holden reagiu sobressaltado.

— Você me disse que podia aparecer na sua casa qualquer dia à noite, menos domingo.

— Ah. Aos domingos tenho um encontro com um grupo de amigos.

— Amigos de que tipo?

— Você vai conhecê-los.

— O que vocês fazem nas noites de domingo? Jogam futebol? Assistem a filmes?

— Não.

— Fazem surubas?

— Quê?

— Esquece.

— São só amigos. Talvez você possa ir comigo hoje. Preciso avisá-los antes.

Holden levantou-se e disse que ia telefonar no locutório mais próximo. Voltou em dois minutos.

— Hoje nos encontraremos em La Catedral, você pode vir comigo.
Quando fui pagar minha parte da conta, ele não deixou e pagou por mim. Guardado na carteira, um extrato de banco me dizia que eu tinha dinheiro para a passagem de volta e não muito mais que isso.

Todos os amigos de Holden tinham lido o meu livro. Isso estava longe de ser a coisa mais estranha a respeito deles. O sujeito sentado à minha esquerda, por exemplo, um careca corpulento e sem pêlos chamado Juanjo, desprovido até mesmo de sobrancelhas, era açougueiro. Seu estabelecimento chamava-se Carnicería Cortázar e ficava em San Telmo, na rua Bolívar. Tinha a voz fina e mãos grossas com unhas severamente avariadas. Vestia uma camiseta azul e amarela de time de futebol. Quando chegamos, mostrou a Holden um recorte de jornal sobre um assassinato cometido poucos dias antes em Buenos Aires. Tinham encontrado parte do corpo esquartejado de uma garota num terreno baldio de um bairro da periferia da cidade. Metade dos pedaços estava faltando e a polícia procurava outro saco de lixo com o restante da vítima. Qual era a graça daquilo, isso eu não sabia. Holden pegou o recorte, leu com atenção e o devolveu a Juanjo sem esboçar nenhum tipo de reação.
Além de mim, Holden e Juanjo, estavam na mesa Jorge Parsifal — um sujeito simpático, meio gorducho, todo vestido de preto e usando óculos de lentes grossas — e Silvia, uma garota linda de no máximo vinte e cinco anos, loira, fumante compulsiva, responsável por encher pelo menos um dos três cinzeiros transbordantes que dividiam espaço na mesa com garrafas de um litro de Heineken. Outros ainda estavam para chegar. Eram nove horas da noite e o galpão gigantesco de La Catedral de Alma-

gro estava quase vazio. O espaço era decorado com móveis de segunda mão e objetos catados na rua, desde sofás puídos até toda espécie de *memorabilia* relacionada ao tango. As paredes descascadas e encardidas, que pareciam ter sobrevivido a um ou mais incêndios, estavam cobertas de discos de vinil, cartazes, peças de roupa, violões quebrados e outros instrumentos musicais, fotografias, pinturas, manequins inteiros ou esquartejados em troncos, pernas e cabeças, molduras vazias, ventiladores arcaicos e totens variados a deuses obscuros do tango. Destacado pela luz de um spot, perto da nossa mesa, vi um sarcófago de vidro contendo uma foto de corpo inteiro de Carlos Gardel em escala quase real. Pilhas de caixas de madeira davam ao ambiente um ar de depósito. Grandes carretéis de madeira usados para armazenar cabos tinham sido recolhidos e transformados em mesas. Num dos extremos do salão havia um balcão de bar composto por diversos móveis diferentes, incluindo uma vitrine de confeitaria e uma espécie de fogão à lenha. No outro, um altar caótico repleto de velas tendo como peça principal uma imagem enorme da cabeça de Gardel. Diante desse altar, silhuetados pela iluminação mínima, meia dúzia de casais dançavam tango num arranjo descontraído que em nada lembrava a milonga da Confitería Ideal. Tangos clássicos alternavam-se nos alto-falantes com versões moderninhas de gosto duvidoso, com direito a bateria eletrônica e arranjos meio *new age*. Mulheres dançavam com mulheres, o que por algum motivo parecia errado. Era um pouco como ver mulheres jogando futebol. Sem o homem, o tango vira um arremedo.

    Mais tarde chegaram Pepino e Vigo, o primeiro empurrando o segundo numa cadeira de rodas. Pepino era magricela e encurvado. Tinha um *mullet* do tamanho de uma tábua de passar roupa e um bigodinho ralo que salientava a insignificância de sua mandíbula. Vigo não tinha pernas. Seu imenso tronco preenchia cada reentrância do assento da cadeira de rodas. Era careca também, mas tinha sobrancelhas densas de pêlos claros e uma barba grisalha que alcançava a metade de seu peito. Mantinha o queixo encostado no peito, e para olhar para a frente precisava virar os olhos verdes para cima numa carranca medonha. Assim que se acomodou diante da mesa, Juanjo lhe entregou o recorte de jornal. Vigo leu em poucos segundos e o devolveu, sem comentários.

— *Hola, Anita, mucho gusto* — disse Pepino. Aquilo estava me dando nos nervos. Todos sabiam meu nome de antemão e tinham lido meu livro, ou pelo menos uma parte dele. Olhavam-me com uma curiosidade que não se preocupavam em dissimular. Falei no ouvido de Holden:

— Como ele sabe meu nome? Aliás, me explica por que todos leram meu livro.

— Eu falei de você para eles. Antes mesmo de te conhecer, quando li seu livro. Uma das coisas que fazemos nesses encontros de domingo são leituras. Lemos partes de seu livro juntos.

— Eles ficam me encarando.

— Você é novidade. Logo vão se acostumar.

O salão estava enchendo. Olhei para o teto à procura da fonte de luz vermelha que dava ao recinto uma atmosfera de laboratório fotográfico. No alto, a uns quinze metros do chão, havia um monstruoso coração incandescente feito de arame, canos e algum tecido vermelho.

Um velho convidou Silvia para dançar. Ela foi e voltou três músicas depois. A conversa circulou por vários temas que não me diziam respeito e depois se manteve por um tempo na literatura. Perguntei que autores argentinos eles admiravam e recomendavam. Me perguntaram quais eu conhecia. Sabato, Borges, Casares, Piglia, Cortázar, Saer. Desdenharam de cada um deles. Comentei que esses caras eram sinônimo de literatura argentina pelo mundo afora. Vigo deu uma boa risada e depois declamou:

— Se você quer conhecer uma nação, familiarize-se com seus escritores de segunda linha: somente eles refletem sua verdadeira natureza. Os outros denunciam ou transfiguram a nulidade de seus compatriotas, e não podem nem irão situar-se à sua mesma altura. São testemunhas suspeitas.

— Quem escreveu isso mesmo? — perguntou Silvia.

— Cioran — disse Holden trocando um rápido olhar com Vigo, como se pedisse permissão para tomar a palavra. — E digo mais. Se você quer conhecer uma nação, não leia literatura. Nem uma página. Escritores de ficção têm pouco ou nada a dizer sobre seu país. Toda arte é egoísta, mas a literatura é a mais egoísta de todas. Não há como escrever honestamente sobre qualquer coisa que não seja nós mesmos. Um escritor pode tentar maquiar esse fato com todas as suas forças, mas nunca escapará dele. Cioran tem razão, os escritores de segunda linha tendem a ser mais autênticos porque têm menos capacidade de maquiar a individualidade do que os move a escrever.

— Silêncio! — berrou um cabeludo que servia no balcão. Todos naquela mesa já estavam bêbados e gritavam em vez de falar, mas Holden era o mais descontrolado. Ele e seus amigos mostravam ser o tipo de gente que leva a literatura a sério demais, que só consegue pronunciar essa palavra como se ela tivesse inicial maiúscula. Oh, meu Deus, a Literatura. Usavam tanto essa palavra que ela já saía gasta de suas bocas. Dizem que uma mentira muitas vezes repetida acaba virando verdade. A conversa daquela turma me fazia pensar no inverso: não há verdade que não soe mentirosa quando proferida com ênfase e insistência demasiadas.

— Não acho que é isso que Cioran quis dizer — falei, mas não fui ouvida.

— Descasque qualquer bom escritor — Holden continuou, gesticulando — e você verá que, no cerne, ele apenas elabora tudo que gostaria de viver, as pessoas que gostaria de ser, o mundo como apenas ele enxerga.

— Acho que não dá pra ser tão radical — retruquei. — É possível escrever sobre os outros, sobre experiências que não nos dizem respeito, mas rendem uma boa história. Colocar-se no lugar dos outros.

— Covardes! — berrou Holden. — Só covardes escrevem assim.

— Calem a boca! — disse o cabeludo do bar, já dando a volta no balcão. Quase me juntei a ele.

— Quem não escreve o que desejaria viver, quem não assume isso para si mesmo, é um covarde. Isso para não falar do verdadeiro heroísmo literário, da fronteira que poucos autores ousam cruzar.

— Já chega, Holden — disse Vigo.

O cabeludo chegou à mesa e mandou todo mundo ficar quieto. Lembrava o líder de uma gangue de motoqueiros com seus braços redondos e tatuados. Holden o mandou à merda. O cabeludo segurou no braço dele e Holden tentou acertá-lo com uma garrafa de cerveja vazia, mas graças a Deus errou. Fiquei torcendo para eles se pegarem, adoro ver homem brigando. Pepino afastou o cabeludo e tratou de pagar a conta enquanto Juanjo e Parsifal conduziam Holden para fora de La Catedral sob o olhar dos freqüentadores das outras mesas. Ninguém parou de dançar no meio dessa confusão. Silvia demorou a descer as escadas até a rua. Quando surgiu, veio acompanhada do vovô com quem tinha dançado antes, um homem de terno e gravata com os cabelos totalmente brancos. Decidimos ir para outro bar. Vigo chamou Holden para o canto, cochichou um pouco e se aproximou de novo para despedir-se. Estava cansado e iria para casa. Saímos caminhando por Almagro, passando por grupos de bolivianos sentados na calçada e *kioskos* gradeados com sua iluminação multicolorida e anúncios de cigarros e refrigerantes. Fiquei pensando se não era falta de consideração deixar Vigo para trás, mas quando virei a cabeça vi uma cena que custei a interpretar: o cadeirante barbudo segurou no pára-choque de um táxi que tinha parado no sinal e deixou-se rebocar para sei lá onde.

Quando meu dinheiro acabou, saí do hotel e me instalei na casa de José Holden. Ele trabalhava o dia todo no centro da cidade, fazendo "trabalho de escritório numa empresa de telefonia", como definiu num tom de voz quase inaudível, como se estivesse falando de uma brochada. Era um pouco como meu pai, que também tinha certa vergonha injustificada de seu trabalho de contador e preferia não falar no assunto. Talvez Holden fosse apenas inseguro, ou talvez recorresse a constantes evasivas buscando fabricar para si um ar misterioso, mas esse seu lado meio ridículo, em vez de me irritar, apenas despertava uma outra faceta de meu instinto maternal. Tratá-lo com um pouco de condescendência, como uma mãe com um filho pequeno que fala errado ou diz que quer ser poeta quando crescer, fazia que eu me sentisse forte quando na verdade sabia estar numa situação vulnerável e não livre de minha própria parcela de ridículo. Eu dificilmente me apegaria a ele, o que era perfeito, já que teria de abandoná-lo em breve. Apesar disso, Holden tinha seus encantos. Em termos genotípicos, era um belo espécime. Fodia melhor a cada dia. À noite íamos a restaurantes maravilhosos ou a peças de teatro. Bebíamos e trepávamos madrugada adentro, quase todo dia. Ele dormia três ou quatro horas apenas e partia cedo, me deixando em casa à vontade para encarnar a mulherzinha que fazia algum tempo eu fantasiava ser. Acordava sozinha e vasculhava seus livros, seus discos, suas roupas. Dava banho no Choripán e cozinhava molhos para congelar.

Ele guardava as camisinhas numa gaveta do armário no quarto. Um dia, antes de ele chegar, peguei todas e joguei no lixo. Nessa noite, chupei seu pau até dizer chega e montei por cima antes que ele pudesse escapar. Ele tentou, disse que era melhor não, mas eu falei que não tinha problema. Há certas coisas que a gente pode fazer que levam um homem a concordar com absolutamente tudo.

— Shhh, não tem problema, tá tudo bem — garanti-lhe, olhando em seus olhos com a expressão de serenidade de quem está protegida. No calor da hora, eu própria tinha me convencido disso. Estávamos protegidos. Ele entrou em mim e eu menti:
— Eu te amo.

5.

Quando o primeiro livro apareceu na frente da porta da casa de Holden, concluí que se tratava de um presente da minha editora. Com exceção da assessora de imprensa deles, que semanas antes me mandara um pacote com fotocópias de algumas matérias sobre meu livro publicadas em jornais, revistas e sites, a única pessoa a quem eu havia passado meu endereço em Buenos Aires era Julie (que me enviou uma pasta com fotos e documentos que eu tinha esquecido no Danilo), e não fazia sentido ela me mandar um livro em espanhol. Na frente do envelope pardo havia uma etiqueta, ou melhor, um recorte de papel sulfite comum, grudado com cola, no qual estavam impressos meu nome e o endereço da casa de Holden. Nenhuma informação sobre o remetente. O livro dentro do envelope era um romance breve, de umas cento e cinqüenta páginas, de autoria de um certo Santiago Oyola. O título era *Un cuarto oscuro en el fondo*. Parecia ser uma edição usada, talvez adquirida num sebo, com dobrinhas nos cantos e uma certa descompostura na encadernação.

Na mesma tarde, deitei no sofá com Choripán estendido sobre minha barriga e comecei a ler o livro. Começava assim, em tradução aproximada:

Adrián tentou erguer-se em meio a uma poça de merda, mijo e vômito que não era apenas sua, mas também de outros caras que tinham freqüentado aquele banheiro imundo ao longo da noite anterior. O sangue, esse sim, pertencia somente a Adrián, que mapeou com a língua os dentes que estavam amolecidos ou faltando. Franziu a testa e sentiu a placa de sangue coagulado rachar sobre a pele. Escorregou repetidas vezes na mistura fedorenta que cobria o chão daquela fossa do inferno e por fim conseguiu pôr-se em pé. Deu dois passos e parou no lugar, paralisado pelas dores lancinantes que seu ânus esfacelado...

Parei de ler aí e joguei o livro longe. Quem poderia ter me enviado aquela porcaria, e por quê? Liguei para a editora e me disseram que não tinham me enviado livro nenhum. Talvez fosse alguma gracinha de Holden, que tinha partido três dias antes para fazer uma "jornada ao sul", como definiu as férias que planejara meses antes de nos conhecermos. Estava usando uma folga de dez dias para realizar uma viagem solitária ao sul da Patagônia e à Terra do Fogo. Quis ir junto, mas ele fez uma defesa irredutível da importância de viajar sozinho. Alegou ser um desses homens que precisam de períodos de isolamento como vasos precisam de adubo. De fato, nos últimos dias ele parecia uma planta em franco processo de estiolamento. Vivia ansioso e desarrumado, desligando-se no meio das conversas. Tínhamos passado o último mês e meio grudados. Durante o dia, enquanto ele trabalhava, eu saía para passear ou ficava em casa mesmo. Com sua autorização, organizei seus livros por gênero e sobrenome do autor (não, não havia um único volume de autoria de

José Holden em toda sua biblioteca, e eu ainda não tinha conseguido achar seu livro em nenhuma livraria de Buenos Aires). Também dei um jeito no banheiro horroroso da casa. Fiz uma faxina profunda, pintei os armários e prateleiras de verde e rosa, instalei uma cortina nova no boxe e um lustre na lâmpada do teto, troquei a tampa da privada e comprei-lhe um kit para fazer a barba e um perfume Polo Sport que, ao contrário das minhas expectativas, ele passou a usar de vez em quando. Também comprei brinquedinhos para Choripán extravasar sua hiperatividade. Fiz tudo isso com dinheiro dele. Não demorou muito para ficar claro que Holden tinha muito dinheiro. Quando saíamos à noite, ele gastava sem critérios. Entrávamos e saíamos de boates onde não raro ele pedia garrafas de uísque que não eram bebidas nem pela metade. Numas poucas ocasiões ele pagou a conta de todos.

Silvia e Parsifal eram companhia freqüente nessas noites, ela demonstrando uma preferência radical por homens maduros, para usar um eufemismo, e ele se revelando um sujeito de excepcional inteligência e conhecimentos enciclopédicos — certa noite me entreteve por uma hora falando sem parar sobre a história dos *gurkhas* e do papel desses mercenários nepaleses na retomada britânica das Malvinas — e que sabia empregá-los muito bem para provocar Holden, cujas obsessões eram seitas secretas, movimentos literários de dissidentes surrealistas e um escritor guatemalteco do início do século XX chamado Jupiter Irrisari. Holden tinha dois livros desse autor em casa, de acordo com ele os únicos que se podiam encontrar. Mas o essencial em Irrisari, de acordo com Holden, não foram os livros que publicou, e sim o caminho que seguiu a partir de certo ponto de sua carreira: parou de escrever histórias e passou a vivê-las.

— Irrisari concebia personagens, traçava alguns elementos básicos de sua história e os incorporava. Há algumas poucas crônicas e registros escritos que dão conta de suas atuações — me contou Holden certa noite, numa mesa de bar em San Telmo em que também estavam Parsifal, Silvia e Pepino, rapaz que a cada encontro me parecia mais quieto e amedrontado.

— Eram como intervenções teatrais, então.

— Não, não. Ele simplesmente passava a agir como o personagem. Não avisava ninguém, não eram apresentações. Você podia conhecê-lo e encontrá-lo seis meses depois, e ele seria uma pessoa totalmente diferente, falando de outra maneira, com outros objetivos e idéias, interessada em outras coisas.

— Há um texto em que argumenta que qualquer personalidade é uma ficção — interveio Parsifal. — Ele acabou destruindo a própria identidade. A maioria dos que conhecem sua história dizem que no fim da vida ele enlouqueceu, mas havia uma reflexão séria por trás de seus métodos. Acreditava que a literatura era o caminho que podia nos levar mais longe no esforço de transcender a individualidade. Num certo momento, se convenceu de que era possível dar mais um passo. O que se pode alcançar por meio da palavra também poderia ser alcançado, de forma análoga, por meio da ação. "Não há razão para nos contentarmos com um único eu", concluiu nesse texto. Foi a última coisa que publicou em papel.

— Um pouco boba essa conversa, não?

Fui esmagada pelo silêncio deles. Para compensar o sacrilégio, perguntei:

— E que fim ele levou?

— Morreu na cadeia, em circunstâncias nunca esclarecidas — disse Holden.

— Por que o prenderam?

— Ele foi preso várias vezes. Poucos entendiam o que estava fazendo. Era considerado um impostor, um sujeito perigoso. Alguns de seus personagens eram violentos.

— Acho que esse cara era um otário — falei. — Sei lá. A literatura, para funcionar, não precisa manter certa distância da vida? Todo livro bom que lembro de ter lido tem essa tensão. É algo que *poderia* ser real.

— Caralho, estou atrasado. — Parsifal levantou-se, deixou alguns pesos na mesa e saiu apressado. Trabalhava de madrugada numa locadora de vídeos vinte e quatro horas.

— É assim que a maioria das pessoas pensa — me disse Holden. — Mas o que realmente me fascina é a possibilidade de romper essa parede. Há muitos autores em que isso se insinua. Chegam perto de escrever como vivem, ou viver o que escrevem. Irrisari detectou isso e radicalizou a idéia.

— Se me permitem depor, gostaria de declarar que o inverso também é possível. Fiquei famosa com um livro que parece que foi escrito por outra pessoa. Não me reconheço nele.

Holden me olhou com desconfiança.

— Tem certeza?

— Tenho. E já estou meio cansada de ser julgada por você e seus amigos com base numa personagem adolescente que inventei.

Pepino se remexeu na cadeira e começou a brincar com o copo. Silvia foi ao banheiro.

— Leia meus lábios. Eu não sou Magnólia. Eu odeio meu livro. Tenho vergonha dele.

Degustei toda a raiva que senti por Holden naquele instante, procurando guardá-la para mais tarde, para quando chegasse a hora de deixá-lo, de tocar minha vida como se ele nunca tivesse existido.

— Não duvido disso, Anita. A questão é que ninguém fica dois ou três anos escrevendo alguma coisa sem um propósito muito secreto e particular. Mesmo os livros ruins nascem de uma necessidade muito íntima.

A discussão daquela noite sobre o excêntrico autor guatemalteco me veio à cabeça instantes depois de ter arremessado longe o livro do tal de Santiago Oyola. Deitada no sofá, pensei que a idéia de um entrelaçamento definitivo entre a literatura e a vida me parecia a mais pura besteira. Descansando ali no centro da sala de estar da casa de Holden, morando com um homem que tinha conhecido havia cerca de dois meses, movida pelo plano mais egoísta que se pode conceber, tentei me ver como uma personagem de mim mesma, mas era impossível. Meu desejo de ter esse filho era real, real até demais, e só de voltar a pensar no assunto minhas pernas se contorciam e eu esquecia de respirar. Meus olhos projetavam fantasias de acasalamento e amamentação no encosto daquele sofá cujo tecido vermelho tinha a cor que vemos quando fechamos os olhos e encaramos o sol num dia de céu limpo.

Silvia era a única mulher do grupo e foi dela que procurei me aproximar durante a ausência de Holden. Tocou a campainha perto da meia-noite de uma sexta-feira e me sobressaltei ao vê-la na porta com dois mastodontes na coleira, um *rottweiler* estrábico que secretava uma quantidade descomunal de baba e uma outra besta branca com pintas pretas que só podia ser um dinamarquês mutante capaz de lamber minha cara sem tirar as patas do chão, coisa que teria realizado de fato se eu não tivesse conseguido recuar a tempo.

— *Hola*, Anita! Como vai? Este é Ricky, e este é León.

Passei a mão na cabeça do dinamarquês, que era maior mas parecia mais dócil. O calor que emanava de seu corpo era perceptível no frio da noite.

— Veio andando com eles até aqui?

— Moro perto, em Colegiales. Vamos caminhando até a minha casa? São umas dez quadras. De lá podemos sair para algum lugar.

Cruzamos a pontezinha da Ciudad de La Paz e fomos andando por ruas escuras e arborizadas, passando por estabelecimentos comerciais miúdos com letreiros muito antigos e algumas residências com portas e janelas gradeadas. Silvia conduzia os cães na coleira com uma das mãos e com a outra segurava uma pequena cuia de mate, a qual era reabastecida com a água quente da garrafa térmica metalizada que levava dentro de sua grande bolsa de pano azul. Eu não gostava muito de mate, mas o chazinho amargo caía bem para combater os efeitos do vento gelado que soprava às nossas costas. Quando eu assumia a cuia, ela acendia um cigarro.

— Tem notícias de Holden? — perguntou.

Holden já estava fora fazia uma semana. Tinha me mandado um único e-mail informando que estava numa cidade chamada Comodoro Rivadavia e que no mesmo dia pegaria um avião para Ushuaia, na Terra do Fogo. Contou que ainda não tinha encontrado o que queria, "um lugar desses onde é possível ver a vida de fora, como as falésias de Magnólia". Terminava dizendo que estava sentindo muita falta de dormir comigo e despedia-se com umas sacanagenzinhas.

— Mandou e-mail, está na Terra do Fogo — me limitei a dizer.

— É tão bonito. Você precisa conhecer.

Le gustaba mucho mirar la cordillera.

— Silvia, você sabe onde Holden trabalha?

— Ele não contou pra você?

— Disse que é numa empresa telefônica, mas ele sempre é tão vago quando fala de seu emprego. E como alguém que trabalha numa telefônica não tem telefone em casa?

Ela riu.

— Holden tem vergonha de falar disso. Ele é supervisor de uma firma de treinamento em telemarketing.

— Não acredito.

— É verdade. Ele treina essas pessoas que ligam pra sua casa oferecendo cartões de crédito ou qualquer coisa do tipo.

— Estou chocada.

— Os argentinos são os maiores especialistas em telemarketing do planeta. Empresas do mundo inteiro treinam seus funcionários aqui. É um povo persuasivo por natureza. Mas não diga a Holden que te contei isso. Ele me mata.

Cruzamos outra ponte sobre os trilhos na Jorge Newbery e continuamos por ruas sempre muito parecidas mas cada vez mais desabitadas. As construções iam ficando mais baixas e até mesmo os raros táxis e *kioskos* vinte e quatro horas desapareceram. Os únicos sinais de vida eram outros transeuntes que em sua maioria também passeavam seus cachorros na noite gélida com a calma de quem procura conchinhas à beira-mar ao amanhecer. Silvia ia me perguntando coisas sobre o Brasil dos estrangeiros. Vocês tomam mate lá? São Paulo é muito grande? A Marisa Monte toca muito lá? Adoro Marisa Monte. Já foi pra Bahia? E pro Rio de Janeiro? Sua voz era alta, não exatamente grave mas encorpada, muito nítida. Seus cabelos tingidos de loiro estavam presos num arranjo bem planejado para simular displicência, com mechas desgovernadas derramando-se pelas faces. Sua beleza era algo a que eu custava a me acostumar. Tinha um belo nariz arrebitado e covinhas juvenis. Agora estava usando sombra azul nos olhos. Às vezes era rosa, às vezes verde. Eu tinha vontade de abraçá-la sem motivo.

— Seus peitos são naturais? — ela me perguntou de repente.

— Quê?

— São de silicone?

— Meus peitos? Não. *Não*. Naturais.
— As brasileiras botam muito silicone, né?
— Acho que sim.

O dinamarquês parou, farejou um ponto qualquer da calçada, acocorou e nos fitou com um olhar que era um pedido de desculpas de proporções cósmicas, como se pedisse perdão por ter nascido, por ser tão grande e tão dócil e estar causando aquela situação. Acendi um cigarro e fiquei estudando sem interesse o letreiro de uma lavanderia chinesa que ficava ao lado de um supermercado chinês. Me virei a tempo de flagrar Silvia recolhendo o mamutal dejeto com um saco plástico. Ela o carregou por algumas dezenas de metros até encontrar uma lixeira pública.

Passamos por uma rua mais movimentada e depois por uma praça.

— Silvia. Desculpa perguntar, mas reparei que você tem uma certa queda por homens... maduros.

— Sim, eu gosto de velhos.

Não havia assunto delicado demais para Silvia. Ela passava por cima de qualquer pergunta com um rolo compressor.

— É curioso. Aquele com quem você saiu de La Catedral, lembra? Tinha uns sessenta anos.

— O nome dele era Cipriano. Tinha sessenta e sete, se bem me lembro.

Após uns segundos de silêncio, ela continuou:

— Faz uns três anos, mais ou menos, eu trabalhava como atendente numa loja de roupas e um cara veio comprar um presente pra filha. — Silvia diminuiu o passo, me entregou a cuia e acendeu mais um cigarro. — Ele era alguma espécie de cientista, um acadêmico aposentado. Não lembro bem. Vendi um vestido pra ele. Depois de pagar, aproveitando que a loja estava vazia, ele reuniu coragem e me convidou pra sair. Notei que se arrependeu no mesmo instante, ficou encabulado, trêmulo. Por algum motivo eu tinha gostado dele. Aceitei o convite, talvez só pela curiosidade de ver sua reação, que foi de incredulidade logo substituída por uma incrível segurança. Anotou num papel o nome e endereço de um restaurante e também seu telefone. Fui no dia seguinte, no horário marcado. O restaurante ficava num hotel afastado do centro. Eu não pretendia ir pra cama com ele. Queria comer de graça num bom restaurante e passar a noite conversando com um cara mais velho. Mas fui gostando cada vez mais do sujeito. Ele mesmo não parecia acreditar que poderia me comer. Uma hora ele disse algo como "a gente vai ficando cada vez mais velho, mas as mulheres bonitas continuam com a mesma idade. Sempre têm dezoito, vinte. Estão nos caixas de supermercado, passam pela calçada quando estamos tomando um café". Era uma coisa meio cretina de se dizer, mas eu consegui me colocar no lugar dele. Me enxergar através dos olhos dele. Acabei subindo com ele pra um quarto do hotel. Ele ficou nervoso. Avisou que talvez não fosse conseguir. Eu tirei a roupa e ele quase morreu fulminado. Demorou muito tempo, mas ele ficou à vontade e o pau subiu. Anita, foi a melhor noite da minha vida. Nunca me olharam como aquele cara olhou. Nunca mais tocaram em mim daquele jeito. Quando fomos embora, ele ficou falando besteira, fazendo piadas. Quis me ver de novo, mas eu o afastei. Ele apareceu na loja umas duas vezes. Deixei o emprego pouco tempo depois e nunca mais o vi. Mas depois fiquei com outro cara bem mais velho, e outro, e outro. — Parou e me olhou. — Algum homem já olhou pra você como se você fosse a materialização de um sonho?

— Já — respondi, mas não tinha certeza se era verdade. Silvia estava com os olhos arregalados, a boca torcida nos cantos por um tipo muito raro de sorriso.

— Com esses homens, é *melhor* do que isso. A maioria deles já comeu a mulher dos sonhos há muito tempo. Eles ressuscitam diante de mim. Sou *mais* do que um sonho pra eles.

Ela ficou me olhando, esperando uma reação. Respirei fundo. Expirei pelo nariz.

— Entende?

— Não sei se entendo. Mas acredito em você.

— Que bom.

Seguimos andando.

— E Holden? — perguntou.

— O que tem ele?

— Ele é incrível, não é?

— Ele é.

— Na cama, quero dizer.

— Sim, Silvia.

— Te invejo. Ele escolheu você.

— Parece que sim.

Chegamos à porta da casa de Silvia, um predinho de três andares. Disse a ela que não queria mais sair, estava meio cansada. Ela era fútil, eu estava com um ciúme irracional dela, e *ainda assim* tinha vontade de abraçá-la. Os cães se fizeram de mortos para tentar adiar em alguns segundos o retorno à prisão do apartamento. Ela os forçou a entrar no corredor um de cada vez. Insistiu um pouco em irmos à festa, mas logo se despediu com um beijo alegre na minha bochecha. Estava fechando a porta quando perguntei:

— Você leu o romance de Holden?

Ela segurou a porta entreaberta por um instante antes de esticar-se de novo para fora.

— Claro. Você não?

— Não. Ele se recusa a me mostrar o livro. E não encontro em livraria nenhuma.

Silvia balançou a cabeça, confusa.

— Holden é uma criança — disse, e sorriu como se pensasse num priminho fofo que não via desde o Natal anterior.

— Que bom que você concorda. Vivo achando a mesma coisa.

— Aposto que você o lerá muito em breve, não se preocupe.

— Ele está brincando de agir como o personagem dele, não está? Como aquele escritor.

Ela continuava sorrindo, fitando o chão. Um dos cachorros rugiu. Ela ergueu a cabeça e me encarou.

— Anita, que pergunta. Todos nós estamos.

Pela primeira vez em Buenos Aires, levei bem mais de um minuto para encontrar um táxi.

Começa com uma vaga suspeita de que você está no lugar errado, fazendo a coisa errada. Você bebe água, liga a TV, desliga, pega um livro e nem folheia. Isso evolui para uma necessidade irracional de fuga, e não há controle mental que dê conta de abafar essa ansiedade que preenche a cabeça toda com uma pressão cumulativa sem válvula de escape à vista. Você tenta isolar os pensamentos que provocam o desconforto mas eles estão disformes, é possível discerni-los apenas por centésimos de segundo na centrífuga inexorável em que o cérebro se transforma. Então você deita e respira fundo e devagar enquanto, à revelia de qualquer esforço de manter a calma, a revolta do pensamento eclode em sintomas físicos. A respiração acelera e você cerra os punhos. Contorce as pernas, esfrega um pé no outro, arranha as coxas. Os músculos se contraem como se a qualquer instante você fosse absorver um tremendo impacto que no entanto nunca chega. Nessa altura você começa a elencar todas as pessoas a quem pode pedir auxílio no momento. Se você tiver pais, namorado ou um bom amigo por perto, o que não é meu caso, é provável que chame ou telefone para algum deles, por mais que saiba que qualquer intervenção será de pouca ajuda. Você sente um medo muito palpável, pois algo terrível vai acontecer, está logo ali, no cômodo ao lado, a poucos metros, a dez segundos de se manifestar, e de repente está *aqui*, ao redor de você, te engolfa. O coração acelera muito e pára e volta a acelerar. Talvez seu corpo seja percorrido por ondas de calor, mas também podem ser de frio, e talvez você comece a suar. A catástrofe de estar presente no mundo, isolada dos outros, destacada de algum fluxo original onde tudo transcorre sem atrito nem perigo, se torna a única verdade total. Passa a ser uma sensação que obscurece todas as outras, chega ao ponto de tornar-se um objeto, uma garra gelada e desumana que aperta e torce seu estômago, um monólito que esmaga seu peito. Você gostaria de retornar agora mesmo para esse fluxo original, se convence de que é a única maneira de terminar o sofrimento, mas não há como acessá-lo sem aniquilar-se, portanto você fica paradinha no lugar, agüentando. Vale a pena agüentar? Você tem dúvidas. Quer acreditar que sim, mas entregar-se parece ser apenas questão de tempo. Talvez você sinta dor. Uma pontada persistente naquele pedacinho do tórax em que numerosos órgãos vitais se avizinham. Você ouve sua respiração e se dá conta de que está arfando numa cadência assustadora, inalando ar ruidosamente numa atmosfera rarefeita. Soca o chão ou a cama ou a superfície que estiver mais próxima e entrega-se a um choro convulsivo na esperança de que os impactos, as lágrimas e a tosse levem embora a certeza da morte que ronda. É como se sua energia vital escoasse pelos olhos e narinas. Talvez você sinta que vai morrer ali mesmo, talvez queira morrer ali mesmo, talvez as duas coisas. Você é tragada pelo buraco e não fará idéia nenhuma de quanto tempo passou quando finalmente estiver deitada da forma mais inerte, esvaziada de tudo exceto um resíduo final de horror, com a respiração agora excepcionalmente lenta e uma perspectiva amarga do restante de vida que ainda tem pela frente. Seu corpo segue sendo um veículo tosco para sua consciência estupefata. Nada mudou. Se pudesse, agora você dormiria por três dias.

Mas eu dormi apenas dez horas. Acordei enjoada e com medo de ficar sozinha. No espelho vi a máscara já conhecida: olhos inchados como os de um bebê, lábios descoloridos e textura de cansaço na pele. Vesti as roupas sujas do dia anterior e saí. Andei até a avenida Santa Fe e entrei no primeiro locutório que encontrei. Eram oito horas da manhã e apenas uma das doze cabines telefônicas estava ocupada. Entrei na última, a número doze, que ficava mais ao fundo. Disquei o número e sua voz me atendeu rouca e pastosa, quase tão inanimada quanto a minha.

— Alô.
— Sou eu.
— Anita?
— Desculpa te acordar.
— Peraí. — Pigarreou e se remexeu. Escutei o rangido familiar da cama. — Não tem problema. Tudo bem?
— Tudo.
— Tá em Buenos Aires?
— Tô.
— Sua voz não tá boa.
— Não tô bem, não. Tive um ataque de pânico.
— Putz.
— Desde que saí de São Paulo eu não tinha um tão forte.
— Podia ter me ligado.
— Tô ligando.
— Na hora. Talvez ajudasse. Ou não.

— Como você tá, Danilo?

— Tranqüilo. Tudo na mesma.

— Trabalhando muito?

— Na verdade não. Tirei umas feriazinhas. Vou viajar semana que vem.

— Pra onde?

— Fernando de Noronha.

— Sempre quis ir pra lá. A gente vivia falando em ir. Lembra?

— Lembro. A gente teria ido junto. Se você tivesse esperado mais um pouco.

— Tá com alguém?

— Quê?

— Tá com alguém?

— Mais ou menos.

— Quem é? Eu conheço?

— Anita.

— Só tô curiosa, porra.

— Não conhece. É a minha professora de ioga.

— Tá fazendo ioga?

— Sim.

— Como é que você me diz que tá tudo na mesma? Tudo mudou. Tirando férias, enroscado com outra. Fazendo *ioga*.

— Não é nada sério.

— Não tô te cobrando. Fico feliz por você.

— E você? Nunca mais te vi no MSN.

— Pois é. Eu tô morando com um cara aqui.

— Quem é ele? Eu conheço?

— Você me fez rir. Obrigada.

— O argentino faz você rir também?

— Não muito. Ele é escritor. Acho. Um fã meu, vê se eu posso com isso. E trabalha com telemarketing.

— Foge. Ainda é tempo.
— É.
Ficamos em silêncio. Tentei segurar, mas não deu.
— Você tá chorando?
— Não.
— O que foi, Anita?
— Nada. Me deu saudade de você. Só um pouco.
— Ai ai ai.
— Desculpa.
— Não, não é pra se desculpar.
O contador da cabine já registrava sete pesos.
— Danilo.
— Quê?
— Se você engravidar a professora de ioga eu mato os dois.
— Ela tem um filho.
— Ela tem um filho?
— Tem.
— Ah, que ótimo.
— Um moleque de dois anos.
— Que ótimo, Danilo. Que *maravilha*.
— Que foi?
— Vai cuidar do filho dela, mas fazer um filho *em mim*, isso você não era homem pra fazer, né?
— Eu não vou... Anita, calma aí.
— Porra! Que merda.
Agora eu estava chorando a toda.
— Anita, não é assim, você tá comparando duas coisas diferentes. E eu nem...
— Eu te odeio, Danilo. Te *odeio*.
— Não fala isso.
— *Odeio odeio odeio odeio odeio*.
— Pára.

— *Bundão*. Você é um *merda*. Eu só queria que você tomasse conta de mim. Eu me entreguei pra você, Danilo. Ou pelo menos tentei.

— Eu sei.

— Eu pedi pra ter um filho seu. Sabe o que isso significa? Seu cagalhão. E você com aquelas merdas de ficar segurando orgasmo. Um saco. Seu veado. A professora de ioga é tântrica? Agora entendi. Agora você se achou. Não vai gozar nunca mais.

— Tá bom.

— *Que. Rai. Va.*

Fiquei uns dois minutos chorando no telefone. Danilo me ouvindo, me chamando a cada vinte ou trinta segundos. A raiva foi passando.

— Desculpa. Eu sou uma louca chorona.

— Anita, se você quiser voltar... não digo voltar pra mim, mas se quiser voltar pra São Paulo e precisar de lugar pra ficar aqui...

— Não vou voltar. Ainda não.

— Eu ainda gosto de você.

— É?

— Não te esqueci assim de uma hora pra outra.

Comecei a chorar de novo. Tirei um lenço da bolsa e assoei o nariz.

— Tudo isso é tão triste, Danilo.

— É.

— Eu penso em você às vezes.

— Você devia ter comentado comigo, sobre o lance do sexo.

— Eu comentei.

— Comentou?

— Dei sinais. Tentei manifestar meu tédio.

— Tédio. Então tá. Desisto. Vou virar monge.

— Não, não é pra tanto. Era só uma questão de ajuste. Você precisa aprender a deixar rolar.
— Agora sim.
— E tem o pau mais bonito do mundo.
— E você é a mulher mais linda do mundo.
— Não sou não.
— É sim.
— A professora de ioga é bonita?
— Não como você.
— É? Por que eu sou bonita?
— Porque é, ora.
— Diz o que é bonito em mim. Tô precisando ouvir.
— Seus olhos são lindos. São imensos e pretos e com aquelas olheirinhas na medida certa.
— Que mais.
— Os ombros fortes. E as dobrinhas ali onde a bunda encontra as costas. Quando você fica de bruços.
— Que mais.
— Eu adoro a sua boca. É perfeita. O risquinho entre o lábio e a pele. E ela se abre de um jeito.
— Que jeito.
— Melhor parar.
— Que foi? Tá de pau duro?
— Ahn... tô.
— E você tá me imaginando de bruços. A boca entreaberta.
— É.
Nisso o contador estava em onze pesos. Quando terminamos, estava em vinte e um. Liguei para a casa de Julie, ela não estava. Demorei a lembrar o número do celular dela de cabeça, mas na terceira tentativa consegui.
— Julie. É Anita.
— Sua desgraçada! Não me liga há semanas.

— Eu sei, desculpa, andei meio envolvida com umas coisas aqui.
— Essas coisas seriam indivíduos argentinos do sexo masculino?
— Arrã.
— *Ma petite pute*. E o que mais tem feito por aí?
— Bom, acabo de trepar pelo telefone com o meu ex.
— *Não*. O Danilo?
— É. Lamento, mas é verdade.
— Anita, são oito e trinta e sete da manhã.
— Eu sei.
— Você é louca. Mas me conta do teu carinha aí. Como ele é?
— Julie, você precisa vir pra cá me visitar.

Depois de muita insistência, Julie aceitou o fato de que passar um mísero fim de semana em Buenos Aires comigo não afetaria em nada seus compromissos profissionais e pessoais. Paguei trinta e três pesos para o caixa do locutório e dei de cara com uma manhã ensolarada e fria. Tomei um café com uma fatia de *cheesecake* numa esquina da Santa Fe. Holden estaria de volta em dois dias e minha amiga chegaria logo depois. Logo eu poderia ler o livro de um e passear com a outra por Buenos Aires, e assim a vida avançaria mais um pouco.

Fui caminhando até o Jardim Botânico, parando no caminho para comprar algo para ler. Levei a última edição da *Inrockuptibles*, o *Clarín* e o suplemento literário do jornal, que é vendido separado. Sentei na grama, encostada numa árvore, e li uma entrevista com o Leonard Cohen e uma matéria sobre Roberto Bolaño, que eu vinha lendo em espanhol.

Chegando em casa, dei uma olhada rápida em outro livro que tinham deixado na porta da casa de Holden em mais um pacote anônimo endereçado a mim. Era o gênero de intriga que se esperaria de um romance de mistério barato, o tipo de coisa que os amigos de Holden fariam para dar ao mundo seu toque pessoal de ficção. Eu poderia apostar que os presentinhos eram coisa daquele Pepino. O livro que tinha em mãos agora era uma edição independente. O título era *Más que un sueño* e a autora se chamava Nacha Acosta. Não havia foto da autora, mas bastou abrir numa página qualquer e ler dois parágrafos de uma prosa até que bem escritinha para que o conflito principal da protagonista ficasse claro: uma garota que descobre seu desejo por homens bem mais velhos. Recapitulei o comportamento de Silvia nas poucas semanas em que convivemos e seu discurso na noite anterior. Fiquei admirada não com o que já sabia, que cada um no grupinho de Holden tinha seu livro e seu personagem a ser desempenhado na vida real, mas com o alcance dessa prática, pelo menos no caso de Silvia. Ela levava sua personagem muito a sério.

6.

— Anita, acorda. Você não pode estar falando sério. Todos eles são bizarros. Só você não percebe. Começa pelo próprio Holden. O cara é bonitão, concordo, e tem um jeitão intrigante, mas alguma coisa nele não me convence. Ele se controla quando está do seu lado. Acho que no fundo ele é um cafajeste. Nem ia comentar, mas você tá deslumbrada com ele, então escuta. Ontem, no corredorzinho do banheiro, ele tava quase agarrado numa outra menina. Aquela com tiara de bolinha vermelha. Parou na hora quando me viu, mas flagrei a mão dele na cintura dela. Tô te dizendo, teu argentino não é flor que se cheire. Esse aí o trem não pega. Isso pra não falar naquela pancadaria do fim da noite. Não sei como você pode gostar dessas coisas. Ele destruiu o outro cara, e foi por nada. Sim, eu sei que ele te defendeu, mas o coitado só fez uma piada infeliz, não precisava tudo aquilo. Não vou discutir. Você pinga por um valentão, tudo bem. Mas fica esperta, eu acho que esse Holden é meio doido. Ele cuida de você, te come direitinho, mas cuidado pra não entrar na desse cara só por conveniência. E ele trabalha com telemarketing. Tá, vou mudar de assunto. Pega o tal de Parsifal, então. O sujeito é um crânio, legal pra caramba, superinteligente, mas trabalha de madrugada numa videolocadora. De madrugada. Sei. Só pode ser papo. Não tem videolocadora que fica aberta vinte e quatro horas, nem em Buenos Aires. Não, não pesquisei, mas duvido que tenha. Toquei no assunto e só faltou ele me estrangular. Aí tem coisa. Depois tem o tal de Pepino, totalmente *freak*. Aquele bigodinho não dá. E ele é celibatário. Que foi, não sabia? Ele falou ontem na mesa, Anita! Você tá com amnésia alcoólica. O cara não trepa. Ele é gay, é claro. Tá na cara. Mas não trepa por convicção. Meu Deus, você não se interessa pela vida das pessoas? Perguntei tudo pra ele. Disse que sexo era problema demais na vida dele, só dava ansiedade, frustração. Tadinho. Desse aí eu tenho pena. Ele é um carinha legal, supergentil, mas cheio de minhoca na cabeça. Bom, aí tem a Silvia, essa você mesma admite que é meio transtornada, só gosta de dar pra velho. Caça homem na fila de atendimento prioritário. Essa coisa de chamar a decrepitude de "melhor idade" deve ter sido invenção dela. E ela é linda. Os franceses da mesinha do lado tavam babando por ela. Aquele com quem puxei papo, o Yann, me esnobou porque tava de olho na Silvia. Sei porque sei, Anita. Como você é desligada. Mas voltando ao assunto, tem o cadeirante também, Vigo. Percebeu como os outros meio que obedecem a ele? E ele tem alguma coisa com o Holden, os dois não paravam de trocar olhares e fazer sinaizinhos. Puxei um pouco de papo com ele, me contou da filha. Isso, a Primavera. Ô nomezinho. Sete anos, né? Fico imaginando cadê a mãe da menina. Simpatizei mais com ele depois que falou da filha, mas quando perguntei o que tinha acontecido com as pernas dele — sim, claro que perguntei, que é que tem? —, mas enfim, perguntei e Holden ouviu a pergunta, aí os dois responderam ao mesmo tempo mas um disse "acidente de carro" e o outro "acidente de moto". Juro pela minha mãe, Anita. Não lembro qual dos dois disse o quê, mas Holden se corrigiu na mesma hora. Sei lá. Aí lembrei do que você contou, Vigo segurando no pára-choque do táxi pra ir embora naquela noite em que você os conheceu. Meio bizarro? É muito bizarro! Isso sem falar do Juanjo. Parece o filho da minha prima, com aquela cara de joelho, só que o Mateuzinho tem mais cabelo. Tenho medo de gente que não fala. Ele ficou a noite toda comendo aqueles sanduíches, um atrás do outro, sem falar com ninguém. Você acha que sou implicante? Eu sei que são seus amigos. Eu sei. Eu sou sua amiga também. Você é minha *irmã*. Só não quero que você se meta com gente esquisita demais. Você tá sozinha aqui. Não tá mais aqui quem falou, tá bom?

Estávamos deitadas na grama da Plaza Almagro comendo tangerinas sem caroço adquiridas numa fruteira da rua Bulnes, deixando que o tempo, o solzinho das onze da manhã de uma sexta e o líquido vitaminado das frutas combatessem a ressaca que nos afligia. Na praça recém-reformada reinavam crianças andando de patins ou pedalando bicicletas e curiosas combinações de triciclo com carrinho de rolimã. Enquanto Julie falava, eu observava três sujeitos meio mal-encarados que bebiam vinho branco de caixinha sentados num banco próximo, filando cigarros ou moedas de quem passava por perto e repetindo à exaustão coisas como *"negro"* e *"concha de tu madre"* num duelo interminável de provocações e ofensas. Quando ela terminou de tentar me convencer da anormalidade de meus amigos portenhos, voltei o olhar para as copas das árvores e enxerguei através dos galhos as varandas dos simpáticos predinhos residenciais que cercavam a praça, pensando que essa era uma bela região de Buenos Aires para se morar, nem chique nem pobre, com a mistura ideal de comércio e residências, cheia de imigrantes latino-americanos ostentando traços indígenas e judeus de passo apressado desfilando sua ortodoxia diante da fachada deteriorada dos prédios. Minutos antes, caminhando pelos quarteirões de Abasto, a meio caminho entre a praça e o hotel em que Julie tinha se hospedado, já que Holden vetara minha proposta de recebê-la em sua casa, tínhamos passado pela frente de pelo menos uma dúzia de lojas especializadas em manequins de todos os tipos. Despidas, as estátuas de plástico pareciam muito mais vivas do que se vestidas nas vitrines das butiques e olhavam para a rua com o desamparo de papagaios engaiolados. Um zoológico de criaturas carecas, rígidas e lisas pensando na vida, com olhares perdidos, mulheres de peitinhos empinados e homens de genitália atrofiada ou inexistente cercando proles de bonecas infantis como famílias de uma raça humanóide evoluída que tivessem voltado no tempo e sido capturadas por seus antepassados peludos para serem exibidas em público. Disse a Julie que tinha inveja das famílias de manequins e a partir disso ela me envolveu num longo discurso de preocupação que ainda não tinha se esgotado. Ela era especialista em me convencer de que eu não estava sozinha no mundo. Mas agora muita coisa tinha mudado.

Por mais que eu amasse Julie, estava arrependida de tê-la convidado a Buenos Aires. Ao fazer isso, tinha me esquecido de todos os motivos que me fizeram fugir de São Paulo, dos julgamentos maldosos que minhas amigas deprimidas faziam de mim enquanto ensaiavam ou levavam a cabo tentativas de suicídio, da recusa de Danilo em me enxergar e me aceitar como eu queria ser, do vazio de afeto e de família que ameaçava me sufocar. Buenos Aires era agora um espaço só meu, e ela era uma intrusa. Deveria ter esperado para reencontrar Julie meses depois, e então lhe descreveria minha temporada portenha de uma maneira que ela estaria pronta para ouvir. Eu traria mentiras e uma novidade e bolaria uma versão diferente para cada ouvinte, tantas quantas fossem necessárias.

Agora, porém, me via na ingrata situação de ter que dissimular diante de Julie a razão parcial que atribuía a suas palavras. Se contasse a verdade, se falasse do filho que pretendia ter a qualquer custo, da forma mais simples e independente possível, ela surtaria. Precisava dar a entender que Holden era só um namoradinho, que ele e seus amigos eram pessoas ligeiramente extravagantes e nada mais. Nada sobre livros e personagens. Nada, sobretudo, a respeito do romance de Holden, que eu tinha terminado de ler dois dias antes.

— Tem algo a me dizer sobre o que lerei aqui? — eu perguntara a Holden enquanto analisava a capa minimalista de *La conjuración sagrada*, de Diego Parisi, seu nome verdadeiro, o mesmo que eu tinha lido em certas correspondências que haviam chegado a sua casa e que tomara pelo nome de um antigo morador. Holden tinha acabado de voltar da Terra do Fogo e não pareceu muito feliz diante de minha insistência em ler o romance de uma vez por todas. Disse que ainda não era a hora certa. Não estava seguro de que nosso convívio até então bastava para que eu o entendesse. Lembrei de Silvia. "Holden é uma criança." Eu disse que era para ele deixar de bobagem e começar a maneirar na *mise-en-scène*. Já tinha lido o livro de sua amiga Nacha Acosta. (Por sinal, era mesmo Pepino, a mando de Holden, quem começara a deixar os livros na porta para que eu reconhecesse seus protagonistas encarnados nos autores — Pepino desembuchou quando o procurei para deixar claro que já tinha entendido o recado. O Santiago Oyola do primeiro volume, aquele com o início intragável, era ninguém menos que o também intragável Juanjo.) Agora estava me lixando para os outros, queria apenas conhecer logo a história de José Holden. Ele cedeu e me entregou o livro, que estivera o tempo todo em um esconderijo, dentro de um estojo de madeira encaixado entre o aquecedor de gás e a parede. Holden, seu protagonista, era um desconhecido das bibliotecas e livrarias, mas talvez eu tivesse encontrado aquele grosso volume por aí se tivesse procurado por Parisi.

— Não tenho nada a dizer. Apenas leia.

— Meu Deus, que homem complexo e fascinante você é — ironizei correndo as páginas com o dedo. Eram quinhentas e dezoito.

Apesar de prolixa, era uma história bem contada, cheia de personagens curiosos. Tudo girava ao redor de José Holden, um adolescente que tem uma educação católica e vai parar num seminário do interior da Argentina. Lá pelas tantas, rebela-se contra a doutrina de culpa cristã imposta pela instituição e foge para Buenos Aires, onde passa a viver uma vida dissoluta entre poetas, cantores de tango e malucos boêmios de toda espécie. Aos poucos Holden constrói sua própria doutrina. Consegue emprego numa repartição pública e se divide em dois. De dia é um empregado exemplar, cordato e funcional. À noite e nos fins de semana, transforma-se num libertino dado a justificar seus excessos com argumentos filosóficos de butique e tiradinhas nietzschianas. A bebedeira, a sacanagem e a virilidade ostensiva só adquirem sentido para ele em oposição a uma estabilidade social e financeira cultivada com a mesma obstinação. Algo como um doutor Jekyll que bebe a poção e vira o Bukowski. Holden acumula parceiros para seu estilo de vida. Em pouco tempo o grupo de amigos se transforma numa espécie de seita secreta com sua própria cartilha espiritual. Reúnem-se para discutir textos de filósofos e antropólogos e artigos de sua própria autoria e dedicam-se a ações de terrorismo poético. O miolo do romance era quase todo dedicado a descrever as peripécias de Holden e sua turma. No último terço, que fica mais interessante, o protagonista passa a levar tudo a sério demais. Bota na cabeça que deseja fundar uma religião. Inicialmente, seus amigos entram na onda. Passam a estudar textos sobre religiões do mundo todo. Holden fica vidrado pela religião dos astecas, com seus rituais de sacrifício sanguinolentos. A realização de um sacrifício se torna sua obsessão. Nesse ponto seus companheiros começam a perceber que ele é meio pancada e ele vai ficando isolado.

No final, Holden resolve demonstrar que não está para brincadeira e oferece-se para ser a primeira vítima imolada pela seita. Logra arranjar o ritual no meio de um bosque na Patagônia. Na última hora, porém, tudo dá errado. Os amigos, que o acompanham sem convicção, frustram seu plano. Ninguém se dispõe a ser o carrasco. Os confrades o abandonam no meio do mato e o grupo se dissolve para sempre. O livro termina com um prólogo em que o personagem, já idoso, recorda com certo escárnio suas ambições juvenis. Nas últimas frases, contudo, abre-se a possibilidade de que o narrador não seja confiável. Descobrimos que o José Holden idoso, agora um escritor de renome, está dando uma entrevista. Há indícios de que ele esteja enrolando o jornalista. Somos levados a crer que sua religião secreta continuou existindo e ainda existe.

Bastaram alguns instantes de reflexão sobre o final do livro, sobre a adoração que Holden tinha pela minha personagem, pelo capítulo final, pelas "coisas que ela faria por amor", para que as peças se encaixassem na minha cabeça. Pensei na vida que Holden levava e na ingenuidade quase irreal do que ele pretendia e tive pena dele e de sua existência de ficção. Ou será que eu estava enganada? Suas convicções eram realmente tão diferentes da vida de qualquer outra pessoa? Meus próprios objetivos não eram vistos por todo mundo como caprichos construídos sob a ilusão de absoluta legitimidade? Se, como eu acreditava, a compreensão que temos de nossas vidas não passa de uma narrativa, talvez Holden não fosse muito diferente de qualquer um. Ele estava em busca de uma equivalência perfeita entre o imaginado e o vivido. Eu não acreditava nisso. Há uma grande diferença entre o imaginado e o vivido, e o fato de eu atribuir um valor radicalmente maior ao segundo era a explicação mais provável para meu desencanto com minha própria escrita.

Quando terminei de ler, saí da cama e o encontrei no sofá da sala, também lendo um livro. Disse apenas:

— Você acha mesmo que eu faria isso por você?

Tive a impressão de que ele terminou de ler alguma frase comprida antes de responder.

— Me diga você.

— Acho que você se enganou a meu respeito. Desculpe.

— Eu falei que era cedo.

E voltou ao que estava lendo.

Da posição em que eu e Julie estávamos, podíamos ver na diagonal oposta da praça o barzinho de esquina onde tínhamos passado a noite e parte da madrugada anterior. Foi uma surpresa quando o reencontramos nessa manhã, já que estávamos caminhando a esmo. Era um velho favorito de Holden para escutar violonistas e cantores de tango, um pequeno recinto com balcão onde cabiam no máximo quarenta pessoas sentadas e em pé. Desde que tinha pisado em Buenos Aires, Julie queria porque queria ouvir tango. Chegamos cedo para ocupar uma mesa e ficamos duas horas só bebendo e saindo à rua para fumar até que lá pelas onze horas uma garota subiu no minúsculo palco onde cabiam apenas ela própria e o violonista e começou a cantar tangos clássicos que eram recebidos com absoluto silêncio pela clientela. Os garçons atrás do bar faziam seu trabalho aos sussurros e até o som delicado do vinho sendo vertido dentro de um copo se destacava na atmosfera. O tango é um gênero musical perito em avisar ao ouvinte quando está prestes a terminar, com conclusões harmônicas previsíveis e decididas, uma aceleração na voz do cantor e golpes vigorosos nas cordas dos instrumentos, e nesses segundos decisivos de cada música irrompiam, precipitados, os aplausos e interjeições. Ainda na época em que me considerava escritora, lembro de pensar que trocaria sem titubear a capacidade de escrever pela de compor e executar música com a força e a sensibilidade que essa garota estava exibindo agora, uma menina mais jovem do que eu, de cabelos pretos cacheados, sem maquiagem, que antes de subir no palquinho, soltar a voz e começar a desenhar emoções com as mãos, seria confundida com uma garçonete sem graça. Como a música é eficaz! Sua aproximação é generosa e certeira, a construção do arrebatamento é uma experiência física que permeia platéias inteiras num piscar de olhos.

A noite se estendeu até duas ou três da madrugada e outros cantores e violonistas, alguns jovens virtuoses, outros veteranos que carregavam suas décadas de experiência na linguagem corporal, se revezaram e passaram seus chapéus entre as mesas. Todos estavam muito animados, exceto Juanjo, que permanecia a maior parte do tempo calado. Não fui com a cara dele desde que o conheci no La Catedral. O recorte de jornal que nos mostrou naquela ocasião era apenas mais uma manifestação de seu interesse por crimes violentos em geral. Era um desses sujeitos que idolatram assassinos seriais e juram conhecer a verdade por trás de crimes não resolvidos. Holden me pedia para não implicar com ele, era um homem traumatizado pela aparência física e por uma família muito problemática. Eu tentava, mas a impressão negativa deixada pelo início do livro de Santiago Oyola me parecia irreversível. De acordo com Holden, era melhor nem ler o resto. De qualquer modo, é difícil ter empatia por uma pessoa sem sobrancelhas.

No meio da noite começou a chover e quando saíamos para fumar voltávamos molhados. Julie fez amizade com três rapazes franceses que estavam sentados numa mesa próxima e lá pelas tantas passou a falar francês e a nos ignorar. Já era tarde e estávamos todos muito bêbados quando levantei para ir buscar mais um vinho e Holden veio atrás. Antes que me alcançasse, um outro sujeito que estava bebendo no balcão ouviu meu diálogo com o garçom e comentou que eu estava abusando dos diminutivos. Nunca tinha parado para pensar nisso, mas, de fato, uma das peculiaridades do meu portunhol era o uso indiscriminado de diminutivos. Por que dizer "*poco*" quando se podia dizer "*poquito?*". Bem mais bonitinho. Mas o sujeito me disse algo como "Cuidado, argentina que usa muito diminutivo gosta de chupar pau". Por um instante fiquei sinceramente interessada nisso, porque podia ser verdade. Estava prestes a pedir que o coitado desenvolvesse sua tese quando Holden, que vinha se aproximando e tinha escutado o comentário, o atacou com uma cabeçada. Houve um início de tumulto perto do balcão. Talvez porque as proporções modestas e a lotação do bar fossem impedir seus movimentos, ou quem sabe em respeito ao público presente que esperava a próxima rodada de tangos, Holden arrastou o cara para a rua e, como dizia meu pai, deu-lhe uma sumanta de pau. O sujeito tentou reagir, mas acabou tendo o nariz quebrado e foi embora num trote humilhado. A maioria dos freqüentadores do bar não se deu ao trabalho de acompanhar a peleja. Só eu, Julie e mais umas três pessoas saímos na chuva para ver o que se passava. Voltamos para dentro depois, como se nada tivesse acontecido. Holden ganhou um cortezinho inofensivo no olho e o sangue que escorria dali se diluía na água da chuva que lhe cobria o rosto. Ofegava e olhava para o nada como um desvairado. Vê-lo brigar por mim tinha sido excitante. Só pareceu retornar a si quando me viu. Eu o abracei e beijei como uma donzela resgatada e apenas um instante depois me dei conta, um pouco assustada, da falta de lógica que havia nesse arroubo de ternura. Podiam ser o vinho e os violões, somados à agressividade que ainda vibrava no ar compacto e úmido do boteco, me fazendo crer que eu podia me afeiçoar para valer àquele personagem meio cafona que alegava precisar de mim para viver até o fim sua história. Fomos embora pouco depois disso. Foi necessária uma megaoperação para que Vigo saísse com sua cadeira de rodas. Embarcou num táxi com Silvia, pois é preciso muito amor ao personagem para agarrar-se ao pára-choque de um carro debaixo de uma chuva daquelas. Pepino e Parsifal saíram andando à vontade, como se estrelas brilhassem no céu, viraram a esquina e desapareceram sem despedir-se. Não sei que fim levou Juanjo. Julie estava meio assustada com a cena que tinha acabado de presenciar. Pegamos um táxi juntos, eu, Julie e Holden, e decidi passar a noite com ela no hotel. Holden foi sozinho para casa.

Agora Julie estava tentando me convencer a voltar para São Paulo. Essa ladainha já tinha começado de madrugada no quarto de hotel. Eu tirando a maquiagem diante do espelho da pia e Julie na banheira comendo alfajores Havanna e me interrogando, querendo saber do que eu pretendia viver na Argentina, se eu não ia comprar um celular local (tentei, mas a documentação exigida era tão insana que desisti), perguntando mil vezes se eu sentia mesmo algo por Holden. Eu escorregava o quanto podia. Holden dava pro gasto, talvez eu não demorasse muito para voltar ao Brasil, vai saber, eu dizia. Julie era a pessoa viva que mais tinha compartilhado momentos a meu lado. Era o repositório de minhas confissões. Foi com ela que conversei quando menstruei e quando dei a primeira vez, e sua família me acolheu quando perdi meu pai. Tudo acontecia primeiro comigo e depois com Julie, mas eu tinha a impressão de que ela aguardava mais apenas para ser capaz de viver as coisas com mais intensidade que eu. Eu admirava Julie, uma admiração que por vezes resvalava na inveja, e me deixava contagiar por sua maneira desencanada de enfrentar a vida. Porém, deitadas ali na grama da Plaza Almagro, eu percebia que pela primeira vez em muito tempo, ou talvez pela primeira vez na vida, eu não sentia que ela estava do meu lado. E a culpa era toda minha. Buenos Aires era um capítulo secreto da minha existência. Um caso particular. Julie não tinha nada que estar ali.

— Você é inteligente, sei que não faria nenhuma idiotice — disse Julie. Dois meninos de quatro ou cinco anos de idade passaram pela nossa frente batendo corrida, um pedalando uma bicicleta com rodinhas e o outro correndo, os dois gargalhando como se não houvesse amanhã. — E pelo menos você abandonou aquele papo de querer engravidar a qualquer custo.

Meu coração disparou. Julie continuou falando, mas eu já não a escutava. Eu devia ficar quieta, mas não consegui. Quando finalmente virei a cabeça e a encarei, a expressão no meu rosto devia ser incomum, pois ela se calou na mesma hora.

— Não abandonei nada, Julie. Ainda quero ter um filho.

Ela apertou os lábios e fechou os olhos.

— E vou ter.

Ela ergueu o tronco, sentou-se e balançou a cabeça.

— Você me dá medo.

— Isso não tem nada a ver com você.

— Não, você não entendeu. Tenho medo por *você*. Tenho impressão de que jogou a vida pro alto por causa dessa...

— Dessa o quê?

Ela suspirou.

— Nada. Nada. Deixa.

— Eu estou bem, Julie. Nunca tive tanta certeza de querer algo na vida quanto quero isso.

— Mas tem um jeito certo de se fazer as coisas.
— Tem? E qual seria? Você sabe me dizer?
— Anita...
— Qual o jeito certo? Tentei de um, não deu, estou tentando mais uma vez.
— Só não quero que você faça algo precipitado que vá te trazer sofrimento.
— Até parece que você é uma especialista em felicidade.
— Quê? O que você disse?
— Nada.
— Você tem razão. Não sou nenhuma especialista em felicidade. Você é que vive me dizendo que eu sou hiperfeliz, mulher resolvida. É uma ilusão sua e de muita gente. Sei do que você está falando. Diga com todas as letras. Eu tentei me matar, caralho. Achei que assim todo mundo ia perceber que eu sofro também. Foi por isso, Anita. Precisava que soubessem que também sofro. Muito.
— Recado dado.
— Não reconheço mais você. Você está obcecada. Desde o funeral da Xanda, quando você ficou com aquela cara. Não parecia triste. Não parecia nada. Era como se a situação fosse apenas um inconveniente. Como se todo mundo que gosta de você estivesse só te atrapalhando.

Houve muito silêncio depois disso. E pedidos de desculpas. Houve até mesmo um abraço. Mas o corpo de Julie nunca me pareceu tão rígido e frio. Depois do almoço ela foi para o hotel e não voltamos a nos falar. Na manhã seguinte ela foi embora.

Quanto a Holden, ficamos quase uma semana sem trepar, nos estranhando, sem tocar no assunto de seu livro e do destino que ele queria para o seu personagem, até que, numa determinada noite, cruzamos olhares de repente e reagimos como desconhecidos fulminados por um desejo irreprimível. Fomos para o chão arrancando as roupas e nos beijando como se do ar amargado de nossos pulmões dependesse a sobrevivência numa atmosfera venenosa, favorecendo configurações antianatômicas e trocando de posições num ritmo insano como se a comodidade de nossos corpos pudesse ser letal, e quando o mero desconforto se tornou pouco para nos satisfazer passei a oferecer resistência em dose suficiente para converter a coreografia angulosa num arremedo de estupro, forçando-o a me imobilizar de várias maneiras e a alavancar uma de minhas pernas ou ambas até que pudéssemos conduzir o enfrentamento a seu propósito final, a evocação do ente estranho que ocultávamos um do outro. Essa porção escondida principiava a assomar no rosto dele, eu a vi chegando, e estou certa de que ele via a mesma coisa em meu rosto, mas fui acometida por um súbito mal-estar e em instantes o exorcismo mútuo se interrompeu. Tínhamos percorrido parte da sala e estávamos na entrada do corredor, sem ar, disparando olhares alucinados. Holden perguntou se eu estava bem, pediu que especificasse o que estava sentindo, mas eu não podia dizer. Levantei usando a parede como apoio, dei quatro passos trôpegos até o banheiro e consegui chegar a tempo de vomitar no vaso.

7.

A Reserva Ecológica é um enorme parque situado às margens do rio da Prata, no centro de Buenos Aires, entre a Costanera Sur e o rio. É um aterro feito com os destroços de demolições realizadas nas décadas de 1970 e 1980 para construir ruas e rodovias. O aterro tinha propósitos de expansão urbana, mas acabou abandonado e com o tempo a flora e a fauna local tomaram conta. Eu já tinha ido até lá durante o dia, num de meus primeiros passeios solitários na cidade. Por todo lado, na terra e nas margens das lagoas, vi moitas de capim-dos-pampas com dois ou três metros de altura, amieiros, salgueiros e acácias, todos identificados e explicados em plaquinhas. Avistei garças, patos e várias outras espécies de aves boiando e batendo asas nos banhados. É um lugar maravilhoso para correr, andar de bicicleta ou simplesmente passear e pensar na vida. Achei estranho quando Holden me disse que o encontro do grupo naquele domingo seria na Reserva, no fim da tarde, porque o dia estava horroroso, com o céu completamente encoberto e uns chuviscos intermitentes. Mas para ele isso não parecia um problema. Nos encontramos todos na entrada do parque. Vigo estava enfiado numa capa de chuva amarela que lembrava o episódio das cataratas do Niágara do desenho do Pica-Pau. Os outros vestiam roupas bem comuns, com casacos semi-impermeáveis e guarda-chuvas fechados pendurados no braço. Todos fumavam sem parar e Silvia e Pepino carregavam seus mates, a cuia na mão e a garrafa térmica debaixo do braço. Parsifal causou comoção ao aparecer com um olho roxo, uma lente dos óculos rachada e a cara toda desmontada. Holden deu-lhe uns tapas nas costas. Silvia deu-lhe um abraço e um beijo no rosto. Perguntei o que tinha acontecido e Parsifal contou uma história nojenta. Não trabalhava exatamente numa locadora de vídeo, e sim numa sex shop onde se alugavam cabines para assistir a filmes pornográficos. O emprego dele, ou melhor, de seu personagem, era fazer a limpeza dessas cabines. Na noite anterior, Parsifal tinha brigado com um dos clientes num episódio que não vale a pena narrar.

Quando estávamos os seis reunidos, Holden disse que ainda faltava alguém. Lembrei de Juanjo, mas quem apareceu foi outra pessoa. Era um rapaz que eu nunca tinha visto, ruivo e alto, com uma barba sem bigode, camisa para dentro da calça e um paletó que lhe davam um aspecto mórmon. Chamava-se Esteban e era de pouquíssimas palavras, parecia muito compenetrado. A Reserva fechava às seis e faltavam apenas quinze minutos para os portões serem trancados, mas Holden e Vigo reuniram-se num breve congresso com o vigia e de alguma forma obtiveram tolerância de uma hora além do fechamento oficial. Já era quase noite quando cruzamos os portões e penetramos por um dos caminhos de terra batida que contornavam a lagoa principal em direção à extremidade do parque que dava para a margem do rio. Estava bastante frio. Holden pôs o braço ao redor dos meus ombros e me apertou contra si, e fomos trotando desse jeito, dando golinhos numa garrafa de Fernet com Coca-Cola trazida por Pepino. Com a exceção de um chinês de abrigo esportivo que passou por nós correndo em alta velocidade, a Reserva estava totalmente vazia. Insetos zumbiam com euforia numa multiplicidade de timbres e animais ocultos chacoalhavam a água e a vegetação das proximidades. Era uma caminhada de quase dois quilômetros até o rio. No meio do caminho, olhei para trás e vi o centro financeiro da cidade delineado por infinitos pontos luminosos, com as novas torres comerciais de Puerto Madero erguendo-se acima de tudo e quase sumindo na névoa noturna. As luzes de Buenos Aires nos alcançavam, mas seus ruídos não tinham o mesmo fôlego. Nossos passos ritmados no chão batido uniam-se à estridulação dos insetos numa bucólica trilha sonora sem palavras.

Chegamos a uma praia iluminada por poucos postes. Havia uma área recreativa deserta com bancos, mesinhas de madeira e brinquedos infantis. Mais adiante, uma camada de pedras e fragmentos de tijolos misturados a entulhos diversos. Esta se estendia por uns dez metros e dava lugar a uma faixa de areia. A partir dali era só a água escura que alcançava a praia em ondinhas esbaforidas. Caminhamos até a beira e avançamos mais um pouco ao longo da margem até uma pequena clareira escondida atrás de um bosque.

Esteban pôs sua mochila no chão e tirou um livro de dentro dela. Fizemos um círculo a seu redor. Com um canivete, fez um corte no dedo e deixou o sangue pingar nas páginas do livro. Então ele pôs fogo no livro e ficamos todos observando aquele familiar arranjo de folhas de papel impressas ser consumido pelas chamas. O livro demorou muitos minutos para queimar por completo. Tive tempo de tomar o mate que Silvia me passou e devolver-lhe a cuia antes que o fogo se reduzisse a estrias incandescentes percorrendo um montículo de matéria negra quebradiça. Vigo declamou:

— A literatura não é inocente, e, culpada, ela enfim deveria se confessar como tal.

Esteban tirou toda a roupa e mergulhou peladão no turvo, gelado, poluído e de modo geral nada atrativo rio da Prata. Saiu nadando em linha reta. Holden e Pepino sentaram-se na pedra mais próxima e acenderam cigarros. Sentei também. Ficamos todos observando as braçadas tenazes de Esteban rumo ao breu. Passaram-se uns cinco minutos e ele sumiu. Vigo começou a manobrar a cadeira e Silvia foi ajudá-lo. Todos se levantaram e começaram a ir embora.

— Não vamos esperar ele voltar? — perguntei. Ninguém me respondeu. Esteban estava encenando na vida real o encerramento de seu romance e, de acordo com o que me contaram, pois eu não tinha lido o livro, o final era assim mesmo, um final aberto, e era preciso abandonar o rapaz à própria sorte. O mais provável, imaginei, é que voltasse em minutos, com hipotermia, ou que um barco da polícia o interceptasse mais tarde. Mas o melhor que eu tinha a fazer agora era calar a boca. Para mim toda aquela encenação não passava de uma blague, porém Holden e sua trupe levavam o ritual muito a sério, em especial Vigo, que me dava umas encaradas de dar medo. Era evidente que não gostava de mim, que só me tolerava porque eu era parte dos planos de Holden, a peça necessária para tornar realidade algo que não tinha sido possível nem na ficção de *La conjuración sagrada*, o livro que Holden esperava poder queimar da mesma forma antes de oferecer-se como oferenda ao deus de sua visão torta e idealizada da literatura. Vigo certamente detectava minha impostura, sabia que eu estava ali por algum outro motivo e que abandonaria Holden assim que obtivesse aquilo que procurava. O próprio Holden já dava sinais de estar desistindo de mim. Enquanto fazíamos o caminho de volta pela Reserva, insisti mais uma vez.

— O José Holden do livro nunca encontra alguém disposto a sacrificá-lo. Na verdade, você já é muito parecido com ele.

— Não basta. Não me importa ser fiel aos fatos do romance. Sou fiel ao personagem.

— Você não pode querer sinceramente uma coisa dessas. Não acredito.

Ele não respondeu na hora. Andamos mais um pouco e de repente ele disse:

— Minha vontade é nunca ter existido. Só isso.

— Holden, por favor...

— Quando escrevi esse livro, ou melhor, quando o reli algum tempo depois de ter sido publicado, parecia uma confissão. Uma confissão para mim mesmo. Você sabe do que estou falando, Anita, você também escreve.

— Mas eu não acredito nisso, Holden — disse baixinho.

— O que está fazendo aqui, então? Quer me convencer de que estou errado? Não perca seu tempo.

Parou para acender um cigarro e não fez esforço para nos alcançar. Eu era o alvo da reprovação silenciosa dos outros, sem saber se tinham escutado ou não nossa conversa. Baixei a cabeça e fui em frente. Era melhor assim.

Perto do portão de entrada da Reserva, Pepino aproximou-se de mim.

— Quer ler o de Vigo?

Me entregou um livro fino. *El gran hotel del universo*, de Juan Jesús Terragno.

— Vamos almoçar amanhã. Quero falar com você — ele disse.

Combinamos horário e endereço. E não sei como — não tinha nada a ver com Pepino, com a conversa que acabara de ter com Holden, com os olhares desconfiados de Vigo, com Esteban sumindo no rio da Prata ou com a visão de Puerto Madero já engolido pela noite gelada — mas eu soube naquele momento, para além das suspeitas e da expectativa, que já estava grávida.

As crianças brincam lá embaixo, no playground. No horizonte, encobrindo a cordilheira de prédios, a Primavera se aproxima, adiantada. E tudo pára.
Desço então os quinhentos lances da escadaria num só impulso. Quando chego ao térreo é possível ver seus primeiros raios encobrindo o edifício enorme a três quarteirões daqui. Em meio aos carros, minha roda direita esbarra num sedã. O alarme é acionado, mas sigo em frente, desviando do latão de lixo no caminho, através da garagem. A Primavera está chegando, fora de hora. Corro o mais que posso, um filete de suor desliza-me pela têmpora direita, pingando no relógio de pulso — 23h30 — totalmente adiantada. As luzes da área de lazer do hotel estão acesas, e posso ver os adultos com crianças nos braços, fugindo da Primavera, os brinquedos abandonados. Ela não nos avisou, veio muito antes do previsto. É possível enxergar a mudança de cor da quadra de basquete antes amarela, agora um cinza-escuro repentino a cobre pela metade. Continuo correndo, resgato energias não sei de onde e aumento a marcha. Quase atinjo a grade do playground e posso ver nossa filha, sozinha, no topo aceso da roda-gigante. As luzes do carrossel deixam tudo vermelho, e suas tranças balançam na tempestade. Ela observa o céu, paralisada — reconheceu a Primavera. Entro no recinto a uma velocidade inimaginável para uma cadeira de rodas. O chão desliza sob os aros numa rapidez estonteante, e caio numa espécie de vertigem, enquanto ergo os olhos pras calças vazias, lembrando de minhas pernas, do tempo em que existiam, quando a Primavera não chegava fora de hora, há muito tempo. Nossa criança está indefesa sob suas nuvens, Primavera. Estendo meu braço para perto do tronco da menina.

Ela pressente minha presença, mas tem olhos apenas para a Primavera. As luzes do carrossel, as luzes. A Primavera sobre nossas cabeças, o olho azul de nossa garota turva. As narinas ofegantes dos cavalinhos. Ela cai em meu colo.
  Giro a cadeira então e bato em retirada. A Primavera já ocupa quase todo o céu. Seus extremos negros e ferruginosos podem ser vistos nas nuvens enquanto fugimos. A Primavera, sinto o coraçãozinho pulsar em minhas mãos. Vejo um pai com sua criança já seguros, abrindo a porta do edifício para que entremos. Ouço a torcida dos hóspedes do primeiro andar. Eu corro, não penso em nada, apenas aperto o acelerador e corro, até estarmos a salvo, protegidos da Primavera. Exausto, entrelaço os dedos nos cachos do cabelo de nossa filha e me lembro de quando ululáva-mos qual bororos ao sol. Isto muito antes de a Primavera adiantar-se pela primeira vez e bem depois de o inverno deixar de existir. Subindo pelo elevador panorâmico, vejo a saliva ácida da Primavera atingir a tabela da quadra. Ela continua temperamental. Ouço o plástico derreter sobre o cimento. Assim como minhas pernas, tudo desaparece sob a precipitação de sua chegada.

    Vigo era um personagem secundário no livro de Terragno, mas a quantidade de semelhanças entre o cadeirante da ficção e o da vida real era assustadora. O do livro era descrito como um homem careca e barbudo que ziguezagueava apressado pelas ruas de uma cidade agarrado aos pára-choques de automóveis tentando proteger a filha da aproximação de uma Primavera sinistra, descrita como uma daquelas entidades malignas de um livro de Stephen King ou Clive Barker que avançam engolindo mundos inteiros. Primavera, o nome da filha de Vigo. Pensei na figura do amigo mais indecifrável de Holden, que só falava o necessário e era tratado com grande respeito pelos outros.

Pepino voltou do banheiro. Vestia uma calça jeans com um rasgo na bunda e um abrigo esportivo, cabelo tingido de luzes, mãos nos bolsos, caminhando no seu passo encurvado e vacilante. Antes que pudesse sentar, o atendente atrás do balcão, um gordo de bigode vestindo um avental imundo, resmungou que nosso pedido estava pronto. Pepino se aproximou para buscar a bandeja com a pizza grande, meia mozarela e meia *fugazzetta*, os dois únicos sabores disponíveis. O bigodudo enfiou num pote de orégano a mesma mão com a qual tinha catado o troco num maço de cédulas amassadas e espalhou uma farta quantidade do tempero sobre nossa pizza. Um porco. Perdi o apetite assim que botei os olhos naquele amplo disco de massa com as bordas queimadas, coberto de queijo de quinta categoria e cebola picada quase crua, que tínhamos adquirido por ameaçadores seis pesos e oitenta centavos. Não me parecia sensato botar algo tão barato assim no estômago. Pepino não dava sinais de se importar e foi logo cravando uma dentada numa fatia de *fugazzetta* envolta em guardanapos que, após análise mais atenciosa, revelaram ser nada mais que retalhos retangulares de papel-jornal empilhados sobre a superfície da mesa. Minha cadeira de plástico estava rachada em diversos pontos e ameaçava desabar a qualquer momento. Nas paredes manchadas e descascadas havia dois pôsteres de cerveja com mulheres opulentas e um cartaz garatujado a canetinha azul avisando que o banheiro estava interditado — o que era mentira, pois Pepino havia acabado de usá-lo. O movimento no balcão era intenso, mas quase todos os clientes enfrentavam rapidamente a atmosfera rançosa e aquecida por um forno que recendia a queijo derretido, recebiam sua pizza e fugiam embora com ela. Três rapazes cabeludos e ruidosos ocupavam uma mesa ao fundo coberta de garrafas de refrigerante. Discutiam com ardor qualquer assunto insondável, mas eu entendia apenas uma palavra repetida em intervalos de poucos segundos: *boludo, boludo, boludo, boludo, boludo.*

Esse buraco era, de acordo com Pepino, uma tradicional rede de pizzarias que qualquer recém-chegado tinha obrigação de conhecer em Buenos Aires. Seu queixo pequeno e pontudo e as junções ossudas de sua frágil mandíbula subiam e desciam e giravam e estalavam no processo de mastigação daquele imperdível quitute. Sempre com a boca cheia, Pepino me deu algumas informações novas sobre sua vida, coisas insólitas como o fato de ter estudado três anos de medicina em Cuba até desistir e voltar à Argentina após perceber que "todos lá eram comunistas". Seu bigodinho ralo havia evoluído para uma tira de pêlos mais encorpada e seu *mullet* de fios espetados estava em grande forma. Holden já tinha me dito que Pepino trabalhava arrastando cabos e equipamento audiovisual numa produtora de vídeo. Ele também tinha seu livro, é claro. Abriu diante de mim um livrinho gasto e mostrou a foto da orelha, um Pepino de cabelos compridos e sem bigode, parecendo ter uns dezesseis anos de idade. *La película blanca*, de Nicolas Godoy. A capa era a foto de uma câmera de cinema, acho que dezesseis milímetros, semi-encoberta pela areia.

— E qual é a história de Pepino?

— É sobre um cara que vai ao litoral brasileiro filmar um curta-metragem, é estuprado por um sujeito que lhe dá carona e... — ele empacou. — Você é escritora, sabe como é difícil explicar do que trata um livro.

— Você foi estuprado por um motorista no litoral brasileiro?

— Não, não é autobiográfico. Quer dizer, em parte. Uma vez fui a uma praia brasileira passar férias. Capão da Canoa. Foi em 1993 ou 94. Peguei carona com um sujeito depois de uma festa. Ele pôs a mão na minha perna, coisa e tal. Não aconteceu nada tão grave, mas foi um episódio que me atormentou, por uma série de motivos.

— Dá pra imaginar o resto. E hoje você é um celibatário. Como o Pepino do romance.

Pepino tirou um cigarro do maço e o acendeu, apesar dos avisos de não fumar. Já não me parecia o mesmo sujeitinho fracote e intimidado de antes. Eu estava conversando com Nicolas Godoy.

— Você não vai comer?

— Tenho amor à vida.

Ele engoliu um último pedaço de pizza e empurrou a travessa com o restante para o canto da mesa. Pegou a mochila e tirou de dentro dela um caderno de jornal.

— Imagino que não esteja a par do que aconteceu com Juanjo.

Eu não via Juanjo nem tinha notícia dele desde a noite da briga no barzinho de tango. Peguei o jornal e li o artigo indicado por Pepino. Era sobre um assassinato com esquartejamento. Haviam encontrado os últimos pedaços do corpo, e alguma pista no local tinha levado a um suspeito. Se chamava Félix Márusic. Lembrei daquela noite em La Catedral, Juanjo mostrando aos outros um recorte sobre o mesmo crime. Quando li o penúltimo parágrafo da notícia, juntei as pontas. Félix Márusic era açougueiro. Tinha sido detido enquanto atendia atrás do balcão de seu estabelecimento, a Carnicería Cortázar.

— Mas... o nome verdadeiro de Juanjo é Santiago Oyola. É dele *Un cuarto oscuro en el fondo*, não?

— Oyola é o pseudônimo de Félix. Mesma pessoa.

Fiquei um tempo balançando a cabeça.

— Vocês sabiam que isso ia acontecer? Quer dizer, isso faz parte do livro dele, e por isso... mas vocês...

Eu estava me enrolando toda e Pepino parecia adorar.

— Como pensei, você não leu até o fim. Bom, todos nós conhecíamos bem o livro dele, claro. Mas só Vigo defendia que Félix devia chegar a esse ponto.

Hora de ir embora. Dessa pizzaria fedida e de Buenos Aires.
— Tchau, Pepino.
Fiz menção de levantar, mas ele estendeu a mão na minha direção, quase tocando meu braço.
— Espera. Tenho algo a fazer e gostaria que você viesse comigo.
— Onde?
— Quero que conheça Primavera.
Pegamos um ônibus até Once. Descemos e caminhamos algumas quadras. Pepino bateu na porta de uma casa e ela se abriu na mesma hora revelando uma morena cinqüentona que havia tentado rejuvenescer com um lifting facial e, ao lado dela, uma linda menina de sete anos, loira e dentuça, segurando junto ao peito uma maleta de violino. Vigo incumbira Pepino de buscar sua filha na aula de música, reforçando minha impressão de que ele era um pau-mandado do barbudo e de Holden. Fui apresentada à menina como uma amiga dele e de seu pai. Tímida, Primavera desviava de meu olhar, mas conversava com Pepino sobre as músicas que estava aprendendo a tocar.

Em meio à caminhada rumo a outro ponto de ônibus, em voz baixa, falando da filha de Vigo como se ela não estivesse de mãos dadas com ele, Pepino disse:

— Olhe para ela. O que você diria que é excepcional nessa menina?

Não havia nada de excepcional nela.

— Os dentes?

— Vamos, faça um esforço.

— Ela me parece perfeitamente saudável e age de acordo com a idade, do pouco que pude observar.

Pepino bufou e sacudiu a cabeça pros lados.

— Ela existe única e exclusivamente porque foi imaginada e convertida em letra impressa num livro de ficção — disse Pepino, erguendo Primavera no colo para atravessar um trecho tumultuado da calçada. Entendi na hora, com certo mal-estar, o que ele pretendia insinuar com isso. Para tornar-se seu personagem, um homem tinha ido ao ponto de gerar uma criança. Será que isso tinha acontecido antes ou depois de ele ter dado um jeito de eliminar as próprias pernas? Era monstruoso. Por outro lado, ali estava a linda Primavera, sorridente e bem alimentada, recém-egressa de sua aula semanal de violino. Não havia o menor sinal de que não fosse uma menina amada.

— Ainda não entendi por que você está com Holden. Às vezes penso que você é simplesmente burra, ou não tem para onde ir, ou fugiu de alguma coisa no Brasil e não pode voltar em hipótese alguma. Não sei. O certo é que você não acredita no que fazemos. Sorte sua que a maioria dos outros apenas suspeita disso, eles não têm a certeza que tenho.

— Eu...

— Talvez justamente por ser burra ou estar desesperada você seja mesmo a pessoa que Holden procura. Tudo bem. Mas não nos enrole. Não dê a Holden esperanças que não pretende cumprir. Quando ele perguntar a você se está disposta a ir para a Terra do Fogo para o ritual, e você sabe do que estamos falando, do ritual no fim do romance dele, pense bem antes de responder. Pense no que sabe sobre Vigo e Juanjo. Nada disso é brincadeira para nós. É engraçado, mas eu acho que Holden se apaixonou mesmo por você. No início ele só falava do seu livro, mas agora é Anita, Anita, Anita. Diz que você vai nos surpreender. Tem muita fé em você. Se não fosse isso, já teria te mandado à merda. Não seria a primeira.

— Tá bom. O.k. — Eu estava quase chorando.

Esperamos um pouco no ponto de ônibus até que Pepino fez sinal.

— Até breve, Anita.

Pôs a menina no primeiro degrau e subiu em seguida.
— Pepino!
Ele se virou, dando espaço para outro passageiro subir.
— Você acha que devo ir embora? Eu poderia sumir agora mesmo.
— Não sei. Mas recomendo que comece a pensar da seguinte forma: o que Magnólia faria?

O que eu, Anita van der Goltz Vianna, fiz foi passar numa farmácia, pegar um táxi para chegar em casa antes de Holden, me trancar no banheiro, sentar no vaso, fazer xixi em cima da palheta e esperar três minutos até que os dois tracinhos surgissem, o segundo deles em reação à presença de gonadotrofina coriônica humana em minha urina, confirmação cabal daquilo que eu já suspeitava. Fiquei sentada ali mesmo na privada por longos minutos, com as calças e a calcinha abaixadas, com a sensação de que o tempo se dilatava. Pela janelinha basculante do banheiro ouvi um trem passar e logo depois outro. Eu os imaginei com inusitada curiosidade, como se segundos antes tivesse quase esquecido de como eram. Longos corpos de metal rebocados de uma estação a outra, atritando trilhos e o próprio ar gelado, estrepitando e agitando moléculas pelo caminho, cheios de gente que tinha nascido de algum jeito, em algum lugar. Ao meu redor, insinuando-se em clamores e memórias, a cidade se apresentava como um complexo infinito de organismos e mecanismos em locomoção, denunciando que eu estava ali parada, isolada, sentada no vaso com as calcinhas arriadas, olhando de frente para um espelho que de sua posição elevada não me refletia. Eu, o centro do mundo. O eixo de todas as coisas. Refúgio para a conjunção de gametas. Porta-útero carregando combinação jamais vista de cromossomos. Animal racional refletindo sobre sua condição de incubadora lisa, branca, trêmula e tatuada de um zigoto. De mim brotará algo como o universo jamais viu. Não com esses olhos que terá, não com essas digitais nas pontas dos dedinhos. Não com essa voz com a qual protestará ao ser expulso ou arrancado de dentro de mim. Não com esses pensamentos. Não com esses gestos. Uma face única. Eu pondo vida inédita onde não havia. Quanta ousadia de minha parte. Quanto poder à minha disposição. Quanto desejo irracional, quanto esforço físico, quantos danos e perdas, quanta simulação e dissimulação para, de um instante ao outro, enfim, fazer brotar um ser numa cavidade. Sentada na privada, ouvindo outro trem e mais outro, esse fato se cristalizou num indestrutível diamante: havia um filho e eu o carregava. Carne incipiente dentro de mim com a contundência da mais dura das pedras preciosas. Só que, ao contrário das minhas expectativas, não me sentia transformada. Levantei e me olhei no espelho. Olá, moça de batom preto. Esperava lágrimas em seus olhos nesse dia, mas há apenas brilho. Eu fulgurante. Você fulgurante. Estou orgulhosa de você. Eu a reconheço. Exatamente a mesma pessoa. Mas o mundo havia mudado. A vida tinha acabado de se tornar um palco para a gestação. Nada mais me diria respeito dali em diante. O resto não era assunto meu. Ia passar pelo que minha mãe passou. Eu lhe prestando homenagem. Eu me vingando porque não a tive a meu lado, ainda sem saber muito bem qual era o alvo da vingança. Um neto para você, pai. O neto que você teria. Entendeu agora por que estou aqui? Saí do banheiro e vaguei pelo corredor, pela sala, compreendendo que ninguém poderia ter me impedido, nem Danilo, nem Julie. Nem Holden.

    Estava enrodilhada na cama quando ouvi a porta das duas rosas negras retinir. Ele veio direto para o quarto e deitou comigo. Sua altivez habitual fora substituída por uma certa domesticidade. Tinha os cabelos revoltos de sempre, como se vivesse em constante avanço contra uma ventania, mas a barba estava bem aparada e o pescoço ainda tinha traços do perfume que eu havia lhe presenteado. Antes um homem sem cheiro, agora um homem com o cheiro escolhido por mim. Seus dedos tentavam inutilmente afastar a franja de meus olhos. Ali estava o pai do meu filho, mas se dependesse de mim ele jamais saberia disso. Me perguntava o que esperava dele a partir de agora, pois o principal eu já tinha obtido. Houve momentos em que senti afeto verdadeiro por ele. Instantes ou horas em que me entregava ao que vivia sem me importar com o que estava faltando. Tínhamos dançado tango e ido de ferryboat a Montevidéu para tomar um drinque que só havia num bar de lá. Viramos noites pulando de uma festa para outra, colecionando exageros pelo caminho até terminarmos em confeitarias que pariam as primeiras fornadas do dia. Passamos fins de semana inteiros à base de sexo, sono, vinho e água mineral. Mas éramos dois farsantes. Ele, um tolo idealista que se arrependia de ter nascido e procurava encarnar um personagem suicida inventado por ele mesmo, e que projetava em mim a protagonista de um livro ruim que eu tinha escrito anos antes. Eu, uma mentirosa que assumia em parte o papel que me era dado apenas para esconder o desejo egoísta e inadiável de arrancar do mundo um filho, sonhando em obter algo muito próximo de uma paternidade anônima.

E não é que, em certo sentido, Holden tinha razão? Era como se tivéssemos sido feitos um para o outro, mas não por afinidade, como ele acreditava, mas por efeito colateral do mais extremo fingimento. Ele desejava o mesmo destino de seu personagem. Eu desejava o mais próximo que poderia haver de uma concepção milagrosa. Pois bem. Uma morte, um nascimento. Uma troca justa.

8.

Pela janelinha embaçada eu via um mundo coberto por nuvens, como se uma onda de inconcebível proporção tivesse acabado de quebrar por cima do continente, deixando um espesso rastro de espuma que custava a dissipar-se. Foi só eu imaginar isso para que pequenas brechas começassem a surgir na cobertura branca, revelando nesgas cada vez maiores de rocha nevada até ficar claro que sobrevoávamos uma cordilheira totalmente desabitada em que apenas alguns lagos azuis quebravam o padrão branco e prateado das montanhas. O avião fez manobras aparentemente desnecessárias, talvez uma tentativa do piloto de desviar da leve turbulência que perturbava essa etapa do vôo. Apontei para a janela e disse a Holden que eu jamais tinha visto neve, o que lhe pareceu uma verdadeira extravagância, como se eu tivesse dito que jamais tinha visto chuva. Me garantiu que a veríamos de sobra em Ushuaia, não só na cidade, mas na própria cordilheira, já que a neve caída nos últimos dias ainda estaria funda e fofa quando subíssemos a nossa montanha, igual a muitas dessas que me pareciam tão inatingíveis do alto. A palma seca de sua mão prendeu a minha, que estava úmida. Agora que me via novamente como uma cúmplice, Holden voltara a permitir-se alguns gestos afetuosos que remetiam a nossas primeiras semanas juntos. Teria se resignado com uma última resposta negativa quando veio falar comigo sobre a Terra do Fogo e a montanha. Semana que vem, ele disse. Diga sim ou não. Minha atuação foi breve e mais convincente do que eu esperava. Bastou apelar às justificativas literárias. Eu finalmente via como os finais de nossos romances se complementavam. Era perfeito. De repente, eu enxergava meus anseios mais secretos projetados em Magnólia, seu destino fictício simbolizando uma lacuna na realidade. Uma lacuna que poderia ser preenchida. Bastou, em outras palavras, usar a linguagem dele.

Pousamos no Fim do Mundo no início da tarde. Minutos antes que o avião tocasse a pista, pude ver a pequena cidade portuária de Ushuaia por inteiro, um amontoado de casas parcialmente cobertas de neve ocupando um aclive entre a baía do canal Beagle e um paredão de montanhas acesas pelo sol, o derradeiro suspiro dos Andes. Um navio de cruzeiro turístico, meia dúzia de cargueiros e uma porção de pesqueiros estavam ancorados no porto de águas escuras e agitadas pelo vento polar. O frio era bem mais intenso que o de Buenos Aires e meu queixo tremeu durante o trajeto de menos de dez minutos percorrido pelo táxi entre a península do aeroporto e nosso hotelzinho no centro da cidade mais austral do planeta. Desci do carro e deixei Holden carregar minha mala. Em vez de entrar no hotel, saí correndo em direção à parte mais alta da cidade, passando por casas muito simples, nada com mais de dois andares, e por feixes de cabos elétricos que se cruzavam no alto dos postes em camas-de-gato caóticas. Precisei vencer apenas dois quarteirões para chegar a um pequeno barranco ao lado da calçada onde resistia a neve caída dias antes. Tirei a luva e colhi um punhado. Parecia gelo picado bem fininho, uma massa áspera que se tornava mais sólida ao toque, como areia molhada na praia. A chuva fina começou a congelar nos meus cabelos. Holden me espiou de dois quarteirões abaixo e decidiu me deixar em paz. Mais adiante, a poucos minutos de caminhada, o sopé de uma montanha avançava sobre a cidade, me convidando a uma inspeção. Holden tinha me dito que a altitude dessas montanhas não passava de mil e poucos metros, mas para quem as contemplava de um pouco acima do nível do mar pareciam ser muito mais altas do que isso. Nuvens azuis, brancas e cinza tocavam seus cumes. Na base, nos trechos com pouca neve, árvores exibiam uma folhagem marrom-avermelhada. Farelo de gelo já tinha se acumulado na minha cabeça, ombros e mangas do casaco e agora eu tremia inteira, gelada até os ossos, mas os maciços de rocha arrastavam meu corpo com algum um tipo de magnetismo.

Me veio à mente Duisa, a esposa daquele pioneiro da Terra do Fogo, como ele a tinha descrito em seu livro de memórias, trazida para viver nessa região na primeira metade do século anterior, fitando as montanhas numa estância isolada de tudo e de todos, em silêncio permanente, sob a observação secreta e carinhosa do marido que décadas depois lembraria dela exatamente por essa tendência à demorada contemplação da cordilheira. A imagem dessa mulher na minha cabeça sempre trazia uma profunda melancolia, a ponto de me dar nó na garganta. Eu queria ser como ela. Ser tratada como ela foi tratada, viver naquele isolamento sob a atenção de um único homem, ser lembrada como ela foi lembrada, ser descrita exatamente da forma como ela foi descrita, com carinho e concisão. Não era o que incentivavam minhas amigas, meus namorados, meus editores. Não era o que recomendavam os especialistas dos programas de televisão vespertinos ou as revistas femininas, das mais populares às mais elitistas e descoladas. Que fossem todos à puta que pariu. Não era pedir demais querer viver como Duisa, mas de todo lado vinham sinais de que esse desejo me seria negado pelo resto da vida. O tipo de amor que eu esperava era uma possibilidade aleatória e improvável demais. O inverso de uma promessa. Eu tinha de me virar sozinha. A vida não havia me preparado para isso? Minhas mãos estavam vermelhas e doloridas de frio. Desci para o hotel só quando não deu mais para agüentar.

Na primeira noite, jantamos num restaurante de frente para o canal, um lugar antigo e escuro, especializado em frutos do mar, todo decorado com antigüidades, instrumentos de pesca, fotografias e páginas amareladas de jornais de décadas passadas. Ao lado de nossa mesa, um forno à lenha que lembrava algo tirado de dentro de um submarino de Júlio Verne abrigava brasas que emitiam calor e luz carmim. Fiquei encantada com os guardanapos vermelho-vivo arranjados como rosas dentro dos cálices de cristal. Holden, por sua vez, entreteve-se com os recortes de jornal colados nas paredes, achando muita graça de alguma coisa escrita numa folha de *El Mundo* de 16 de novembro de 1936, relativa a resultados de um jogo de pólo, mas que para mim não tinha nada de engraçado. Pedimos uma caçarola de *centolla*, uma espécie de caranguejo gigante, batatas cozidas ao creme e uma garrafa de vinho da qual bebi apenas meio cálice. O garçom me levou a outro ambiente do restaurante onde havia um grande aquário de água salgada contendo um ser hediondo. Era nossa refeição. Tinha quase um metro da ponta de uma pata à outra e sua carapaça era toda espinhenta. Em outras palavras, um siri acromegalista que passara alguns milhões de anos em temporada evolutiva no inferno. Disse a Holden que era a coisa mais horrível que eu já tinha visto. Aí ele apontou para um cantinho do aquário. A princípio não enxerguei nada, mas ajustando um pouco o foco vi um microcaranguejo diáfano se escondendo embaixo das patonas da mamãe. Não era preciso nada mais que isso para acionar minha autoconsciência nos últimos dias. Foi um momento estranho. Me perguntei se Holden não suspeitaria ou saberia que estava a caminho de ser pai, tecnicamente falando. Mas ele não tinha como saber. Se ficasse sabendo, continuaria achando graça em honrar sua criação literária da forma como pretendia? Me dei conta de que nunca tinha conversado com ele a respeito de crianças, uma precaução inconsciente em defesa própria.

Antes de dormir, caminhamos pela avenida central de Ushuaia. Um pouco para minha frustração, o Fim do Mundo não diferia em nada de qualquer ponto turístico do planeta com sua abundância de restaurantes, cafés, locutórios com acesso à internet, lojas de roupas e de suvenires, puteiros mal disfarçados, *pubs* irlandeses e uma quantidade inesperada de lojas de eletrônicos que sugeriam uma grande porcentagem de *nerds* e *geeks* na modesta população local. Entramos numa loja de roupas esportivas e Holden me comprou uma *campera*, que é como chamam os casacos impermeáveis para clima frio, uma calça impermeável, uma blusa térmica e botas para neve, modelos que pareciam mais adequados a expedições ao pólo Sul, tudo para que eu "não congelasse lá em cima". Era um exagero, pois o frio não seria tão intenso. Algo em torno de zero grau, o que pode ser pior ou melhor dependendo do vento e da umidade. Mais uma vez, me perguntei se ele não sabia que eu estava grávida.

Na frente do predinho da prefeitura, um grupo de funcionários públicos, em sua maioria professores, estava acampando no melhor estilo de protesto político argentino para reivindicar aumento dos salários. Holden parou para conversar com eles. Dois rapazes nos detalharam a situação, nos ofereceram garrafas de refrigerante e *chorizos* assados num tonel com fogo à lenha e perguntaram a qual partido político pertencíamos. Estavam dispostos a interditar a rua por três dias, ou até conseguirem uma audiência com o prefeito.

Voltamos ao hotel. Tomei banho, deitei e liguei a televisão. Assisti a um episódio de *House* e à segunda metade de *O poderoso chefão 3*. Holden ficou lendo pedaços de vários livros diferentes. Um deles era o meu. Me virei para dormir, mas certas perguntas ocupavam minha cabeça, querendo sair. Eram perguntas que eu não deveria fazer. A primeira delas saiu. Ele fez pouco-caso. Nunca tinha pensado em ter filhos, disse. Não era uma coisa que o preocupasse. O tom seco afastou meu receio de que ele suspeitasse de algo. As outras perguntas perderam o sentido, então não as fiz.

No meio da noite, acordei nos braços dele, no ápice de uma excitação cujos estágios intermediários eu havia perdido. Não dava para saber se eu tinha chegado até ali na esteira de um sonho que se apagou, em reação a hipotéticas carícias de Holden ou as duas coisas juntas, mas era um desejo em estado avançado, acondicionado sob pressão dentro de pesados acolchoados de lã, numa cama confortável dentro de um quarto totalmente escuro, algo que só poderia ser anulado com muita força de vontade. Mas para quê? Naquele momento, no anonimato do sexo semidesperto, aquele homem me comendo poderia ser qualquer um, e eu mesma não saberia dizer muito bem quem era.

Acordei cedo e fui tomar café sozinha. O típico desjejum argentino, *medialunas* doces demais para o meu gosto e café, nada mais. A própria gerente do hotel, uma mulher jovem de cabelos pretos e lisos e um rosto alerta e rechonchudo como o de uma apresentadora de telejornal acima do peso, me serviu o café preto de trás de um balcão. Não havia mais ninguém no pequeno refeitório de quatro mesas. Sentei para comer e ela deu a volta no balcão e se encostou na parede perto de mim. Estava grávida de uns quatro ou cinco meses. Puxou papo, perguntou o que estávamos achando da cidade, o que fazíamos da vida. Chamava-se Susana. Eu a entendia bem, mas era difícil para ela decifrar meu espanhol ainda primário e mal pronunciado. Encostou no balcão perto da minha mesa e começou a falar de sua própria vida enquanto eu mantinha o olhar fixo em sua barriga. Seu marido era aviador. Fazia vôos turísticos e levava pacientes graves para os hospitais de Buenos Aires. De vez em quando voavam sobre a Terra do Fogo só para passear. Conhecia cada palmo da região, garantiu. Procurava ser simpática, mas era evidente que estava chateada com alguma coisa. Dei um jeito de comentar isso sem forçar a intimidade que não tínhamos. Primeiro desconversou. Disse que seu gato havia desaparecido. Só podiam ser os chineses. Quando navios chineses ancoram no porto, começam a desaparecer gatos e cachorros, disse com uma expressão de escândalo. Chegam ao ponto de fazer ofertas em dinheiro para comprar os animais domésticos das pessoas. Eles comem tudo. Tinha um navio chinês no porto fazia três dias e o gato desaparecera na mesma noite de sua chegada. Terminou essa história e ficou em silêncio. Apontei para sua barriga com um ligeiro erguer de sobrancelhas e levantei o assunto da gravidez sem chegar a fazer nenhuma pergunta específica. Susana resmungou qualquer coisa. Perguntei de quantos meses era. Cinco. Eu queria fazer outras mil perguntas, queria contar que também estava grávida, mas ela franziu a testa e começou a chorar. Levantei e toquei no seu braço. Estava desesperada porque não queria ter o filho. Sentia um vazio enorme por dentro. Bastava pensar no nascimento da criança para ser tomada pelo desgosto e ficar deprimida o dia inteiro. Meio nervosa, comecei a dizer um monte de platitudes. Ter um filho é uma coisa linda, Susana. Isso vai passar. Você precisa ser forte. Ela nem me ouvia. Era jovem demais, disse, queria ir embora de Ushuaia o quanto antes. O Fim do Mundo não era lugar para uma mulher como ela. Tinha insistido tanto com o marido para se mudarem para Buenos Aires, mas nada. Tinha tantos sonhos, queria fazer cursos, conhecer o mundo. Sentia que o tempo estava passando rápido demais. Perguntei sua idade e, embora não parecesse, era só um ano mais velha do que eu. Maldita hora para ter um filho, disse entre os dentes. Você tem filhos? Vai entender quando acontecer com você. Quantos anos você tem? Espere. Está me ouvindo? Espere. É uma maldição. E aí a porta de entrada do hotelzinho abriu deixando entrar um casal de turistas nórdicos e uma rajada de ar gelado. Ela se recompôs rapidamente, os olhos já secos e algo irados, sorriu para mim, deu uma apertadinha no meu ombro, pediu desculpas e foi andando até a recepção. Sentei de novo, tomei um gole de café frio e fiquei olhando para o nada, aturdida, me sentindo quase violentada fisicamente, um corpo deixado para trás num terreno baldio.

Era nosso penúltimo dia. Fomos à baía Lapataia.
Acabamos deitados sobre as tábuas de um pequeno píer flutuante montado sobre barris na margem da baía onde o lago Roca encontra-se com o canal Beagle, dentro do Parque Nacional da Terra do Fogo. Uma nuvem lerda e quase interminável por fim destapou o sol e um dos lugares mais bonitos do planeta se transformou no lugar mais bonito do planeta. Entendi por que Holden escolhera passar a tarde ali. Era como uma cisterna para onde escorria toda a serenidade do mundo. Fazia uma hora que estávamos estendidos com os pés em direções opostas, as cabeças unidas pelo topo, olhando para o céu que a água negra

e imóvel refletia com exatidão. Sentei-me e aspirei o ar gelado que lavava os pulmões. A beira rochosa do lago era sucedida por um capim bege queimado e salpicado de neve, depois por bosques de árvores de folhas marrons, vermelhas, roxas, laranja e amarelas. Meu olhar deteve-se num pico nevado que se erguia perto do lago, com uma das faces azulada e a outra irradiando o branco mais perfeito que pode existir, o mesmo brilho que se via em cadeias de montanhas um pouco mais distantes e que fazia pensar em mundos inacessíveis habitados por deuses só desse lugar. Dois homens pescavam num bote laranja na margem oposta. As varas apontadas para o fundo do lago não se moviam nunca, sua paciência era infinita, e estavam longe demais para serem escutados, se é que falavam. Era a única presença humana além da nossa no lugar, o que não chegava a macular a sensação de solidão completa. Até o bote pertencia ao conjunto. Parecia menos exógeno do que os coelhos grisalhos que pastavam e tomavam sol por todo o parque, bichinhos que, segundo Holden, tinham sido trazidos décadas atrás por militares argentinos e se tornaram uma praga em toda a região. Holden sabia tudo sobre a natureza da Terra do Fogo. Castores que alagavam grandes áreas com suas represas de gravetos, aves extintas pela raposa-cinzenta que o homem introduziu no ecossistema para regular a população de coelhos, as árvores de raízes pouco profundas que eram facilmente arrancadas pelo vento e áreas que tinham sido desmatadas anos atrás para a construção de Ushuaia e de outros vilarejos fundados com o objetivo primordial de ocupar a região para defendê-la dos chilenos, cujo território fazia fronteira com o argentino a poucos quilômetros dali, no meio do lago Roca, tendo como referência o pico do Cerro Condor. As explicações foram dadas enquanto percorríamos o parque num carro alugado por estradas de terra estreitas, parando aqui e ali para admirar vistas dignas de qualquer antologia de cartões-postais. O fascínio de Holden por esse pedaço de mundo era contagiante. Apontou a direção da montanha que tinha encontrado a alguns quilômetros do parque, a mesma que subiríamos a pé dentro de dois dias, quando os outros — Vigo, Pepino, Silvia, Parsifal e Esteban, que, no fim das contas, havia ressurgido das águas turvas do rio da Prata falando em visões e experiências transformadoras — chegassem de carro para nos encontrar. Não era possível vê-la dali, mas estava lá parada à nossa espera. Se eu estava achando a baía Lapataia o lugar mais lindo do mundo, que esperasse para ver essa montanha, Holden dizia. Tinha alugado uma casinha lá perto, e seria lá que encerraríamos nossa temporada fueguina.

— Por que você me perguntou sobre ter filhos ontem à noite?

Um dos homens tirou o anzol da água. Sem peixe.

— Não sei. Você nunca falou no assunto. Não há nada sobre isso no seu livro. Fiquei pensando se você ainda buscaria o mesmo destino de seu personagem caso tivesse um filho.

— Entendi.

— Não entendo como algumas pessoas podem viver sem ao menos pensar nisso. Nunca passou pela sua cabeça, não é?

Ligaram o motor do bote. Ele zarpou em grande velocidade, contornou a margem e saiu de nossa vista.

— Tive uma relação terrível com meus pais — disse Holden após uma pausa. Ele parecia desarmado, depois de muito tempo. Talvez fosse Diego Parisi falando. — Minha casa era um lugar estranho. Passei a infância com eles numa cidade muito pequena do interior. Meus pais quase não falavam. Eu ficava dias sem ouvir a voz deles. Não é que não me amassem. Mas não havia conversa. Ninguém nunca se tocava. Às vezes eu cumprimentava meu pai com um aperto de mão. Um abraço, um beijo eram coisas impossíveis de se pensar.

— Você é filho único?
— Sim. Meus pais tinham uma convicção inexplicável de que meu destino era ser padre. Eram religiosos, mas não muito. Não religiosos a ponto de querer um filho sacerdote. Não fazia sentido pra mim. Até hoje não entendo.
— Eles estão vivos?
— Estão.
— Por que não pergunta?
— Não falo com meus pais faz muitos anos. Quando os vi pela última vez, falamos de raças de vacas. Sobre os problemas no motor do carro do meu pai. Sobre a seleção argentina. Sobre qualquer tipo de besteira, menos sobre nossas vidas. Aquela mesma muralha emocional da minha infância. Estava intacta.
— Você os odeia?
— Não. Eu já os odiei, mas hoje? Não é mais ódio. É nada. Sinto que é melhor manter distância deles. Sempre achei que tinham medo de mim. Não podiam perguntar como eu estava me sentindo porque tinham medo da resposta. Desde criança eu tinha essa impressão.
— Por que eles teriam medo de você?
— Jamais vou saber. Mas foi estranho você ter me perguntado sobre filhos, porque de fato eu nunca pensei no assunto. Tudo na vida me pareceu relevante em algum momento ou outro, menos isso. Eu não saberia o que fazer com um filho. Deve ser exatamente o que meus pais sentiam antes de eu nascer.
— Você não tem como saber.
— Eu fugi do seminário aonde meus pais me mandaram para estudar e ser padre, mas de certa forma eu nunca saí de lá.
Um grupo de turistas avançou pela plataforma que levava ao lago. Um guia apontava para as montanhas enquanto fotografias digitais eram produzidas às dezenas.
— Mas você precisa ser mãe, Anita.

— Por que você diz isso?
— Pelo jeito como você fala do seu pai.
Eu estava preparada para qualquer coisa, menos para vê-lo finalmente sair de seu personagem. Holden não era um pai para o meu filho. Não fazia parte da história. Ele precisava sumir, como queria. Aquilo tinha de parar.
— Você está pensando em desistir do sacrifício?
— Não, de jeito nenhum. Por que diz isso?
— Porque esse assunto não faz parte. Não tem nada a ver com nada. Então pare.
— O que deu em você?
Os personagens precisavam voltar.
— Holden.
— Quê?
— Vamos embora.

A meio caminho de Ushuaia, ao entrarmos numa curva parcialmente coberta de neve numa estrada asfaltada e deserta, avistamos um carro acidentado. As marcas deixadas pelos pneus desenhavam o trajeto pelo qual o veículo havia deslizado até capotar algumas vezes e parar sobre as quatro rodas entre o acostamento e as árvores que beiravam a via, deixando para trás um rastro de vidro espatifado, um retrovisor e um pára-choque. Holden freou com cautela ao ver o carro e analisou a situação antes de decidir avançar mais um pouco e estacionar perto do local do acidente.
— Tem gente dentro do carro? — perguntei, apavorada.
— Não sei, preciso chegar mais perto — disse ele, abrindo a porta e descendo. — Tem alguém no banco do passageiro.
O vento forte fazia estardalhaço na copa das árvores e começava a escurecer. Escutei um barulho no meio do mato. Um

cavalo preto e robusto estava andando entre as árvores com paciência, jogando o pescoço para cima e para baixo, totalmente alheio ao que se passava na estrada. Seus pêlos eram irregulares como se tivessem crescido às pressas para protegê-lo de uma glaciação repentina, chegando a ter mais de um palmo de comprimento. Sua figura me fez pensar num iaque fantasmagórico. Os tremores já causados pelo vento gélido no meu corpo foram atropelados por algo muito maior, um calafrio.

Holden estava debruçado sobre a janela do passageiro e conversava com a pessoa sentada no interior do carro. *Onde está o motorista?*, pensei enquanto me aproximava. A porta e o teto no lado direito do carro estavam muito amassados.

Olhei por cima do ombro de Holden. A pessoa era uma mulher e estava toda ensangüentada.

— Ai meu Deus. Ela está bem?

— Shhh — fez Holden. Estava tentando entender alguma coisa que a mulher balbuciava ao mesmo tempo que limpava o sangue de sua cabeça com o cachecol.

— O que ela está dizendo?

— Acho que está delirando.

Por que ele não me ouviu?, foi a única coisa que entendi.

— Holden, vamos voltar para o carro e procurar ajuda — falei enquanto olhava em volta. Nenhum de nós dois tinha celular. Que patético.

Então eu o avistei. Estava mais adiante na estrada, parcialmente iluminado pelos faróis do carro capotado.

— Holden.

— Shh. Estou tentando entender esta mulher, Anita.

— *Holden!*

Ele olhou para mim e apontei para o homem deitado no meio da estrada. Parecia estar dormindo, ou desmaiado, deitado de bruços. Tinha deixado um rastro numa fina camada de neve entre o carro e o ponto até o qual havia presumivelmente se arrastado. Fomos correndo até lá. Chegando mais perto, percebi que não havia sangue. Seu casaco bege, touca de lã cinza e calça jeans estavam intactos. Mas foi só ver a pele de seu rosto para perceber que estava morto. Eu já tinha visto a morte antes. Holden não percebeu.

— Puta merda, será que está vivo?

Abaixou-se e pôs os dedos no pescoço do homem para tentar sentir a pulsação.

— Ele está morto, Holden.

— Acho que tem uma pulsação... vou tentar no pulso.

— Ele está morto!

Holden levantou, olhou para mim, olhou para o corpo, olhou para o carro, olhou para o corpo. Emitiu um ruído qualquer, passou andando pelo homem e agachou-se uns dez metros à frente. Voltou com um celular na mão.

— Funciona — disse. — Semicerrou os olhos. — Acho que entendi. A mulher estava falando de um celular e da costela, da costela. Costelas quebradas.

— O marido dela saiu do carro para procurar o celular que tinha voado longe.

— Acho que as costelas quebradas perfuraram seu pulmão enquanto andava.

Holden já estava discando para algum telefone de resgate. Logo começou a falar com alguém do outro lado da linha. Voltei em direção ao carro para cuidar da mulher, me dando conta de que ela tinha visto o marido se arrastar lentamente em direção à morte. *Por que ele não me ouviu?*

Não foi fácil me acostumar à visão. O rosto e metade da cabeça da mulher estavam esmagados. Seu braço direito estava destruído e a perna direita parecia presa entre o porta-luvas e a lataria deformada. Havia sangue por todo lado. Tentei acalmá-la.

— Estamos chamando o resgate. Você vai ficar bem.

— Eu disse pra ele não sair do carro, pra não se mexer — ela ganiu.

Passei os dedos nos cabelos da metade intacta de sua cabeça. Ela sussurrava coisas que eu não entendia. De repente virou um pouco a cabeça na minha direção. O branco de seus olhos estava limpo e iluminado.

— Quem é ele?

— Quem?

— Lá ao lado de Roberto.

Holden já tinha terminado de falar no celular e estava agachado ao lado do corpo, observando-o de perto.

— É meu marido — simplifiquei. — Está chamando ajuda. Não se preocupe.

— Tenho dois filhos. Eles moram nos Estados Unidos.

— Vamos falar com eles. Vamos avisar.

— Eles não me visitam nem me telefonam faz meses.

— Shh, não fale, fique quietinha.

Holden ficou olhando o corpo do homem até a chegada de uma ambulância e de uma viatura de polícia. Mais tarde, já no hotel, me contou que era a primeira vez que via um ser humano sem vida. Um homem de trinta e dois anos que jamais tinha ido a um enterro, que fora mandado para o seminário por pais frios que o tratavam como uma estranha aparição e que parecia encarar o próprio nascimento como um acidente indesejado. O destino com que sonhava fazia mais e mais sentido.

A curta viagem de carro para a casa nas proximidades da montanha foi silenciosa. Melhor assim, porque se Holden tivesse me incentivado a compartilhar meus pensamentos eu teria sido obrigada a dizer que estava pensando no meu livro. Aquele trajeto a dois por estradinhas de terra cortando bosques e contornando lagos me lembrava a viagem de carro de Magnólia e Tomás para a praia quase deserta na qual pretendiam se refugiar. Mais do que isso, nossos últimos dias em Ushuaia pareciam espelhar como um todo a viagem de fuga daqueles dois amantes estranhos um ao outro. A solidão da minha personagem era análoga à solidão que eu própria sentia agora, e seu desejo secreto, inconfessável, nunca explicitado e quase nem insinuado no romance, de dar um jeito qualquer de livrar-se daquela relação para tornar-se finalmente livre, era muito, muito semelhante ao meu desejo secreto, inconfessável e nunca explicitado de dar um jeito qualquer de livrar-me logo da farsa em que havia me metido para finalmente ficar livre, sozinha ao meu modo, dona exclusiva da vida que poderia ter com meu filho dali para a frente. *Eu já havia aprendido essa lição na adolescência, mas tinha esquecido e só agora me recordava: não protestar contra a solidão. Não resistir. Como tantas tardes aos catorze anos, tantos dias na praia aos dezesseis, entre amigos ao mesmo tempo tão próximos e tão distantes de mim. A solidão é um estado natural. Amores mudarão essa regra ao acaso. Não há como não ser ao acaso. Respirar a vida como se não houvesse ninguém. Até que haja.* Palavras de Magnólia. O estilo kitsch eu renegava, mas sua veracidade eu era obrigada a reconhecer. Não se imagina nada impunemente.

 O chalé de madeira ficava numa área plana próxima a um lago, em terreno anexo a um camping usado apenas no verão por *trekkers* e amantes da natureza em geral. Tinha um quarto de casal, outro para dois solteiros e dois sofás-cama na sala. Uma série de montanhas não muito altas se erguia por trás do chalé, do outro lado de um bosque, a poucos quilômetros de distância.

Holden apontou para uma delas, bem no meio das outras. Cerro Bonete. Era essa que subiríamos a pé no dia seguinte. Eu disse que ele só podia estar brincando. Era uma pirâmide inacessível de rocha e neve. Ele garantiu que era apenas impressão. Já tinha subido lá com um guia. Era fácil.

Vigo, Pepino, Silvia, Esteban e Parsifal chegaram no início da noite numa minivan. Pepino, Esteban e Silvia pareciam mortos-vivos. Tinham dirigido uma semana inteira pela Patagônia, revezando-se sem apoio dos outros dois, já que Parsifal não sabia dirigir e Vigo não tinha pernas. Ninguém estava muito a fim de conversar. Silvia caiu na cama em questão de minutos. Esteban saiu para caminhar na margem do lago. Vigo, Parsifal e Holden ficaram bebendo cerveja e discutindo um assunto qualquer na varanda, numa conversa lenta e espaçada. Pepino sentou-se a meu lado diante do fogão à lenha e me deu um pouco de atenção.

— Você ainda está aqui. Acho que eu estava enganado a seu respeito.

— Estava.

— Suponho que Holden já tenha explicado como vai ser depois. A história é a mais simples possível. Um acidente. Deixaremos você no aeroporto amanhã e depois disso você faz o que quiser com a sua vida. Você vai ficar em Buenos Aires?

— Não te interessa. — Olhei para ele. — Pepino, vá à merda, antes que eu me esqueça.

Ele riu.

— E seu bigodinho é asqueroso.

— Se mudar de idéia, mude antes de subirmos a montanha. Lá em cima será tarde demais.

Levantei o dedo médio lentamente, girando uma manivela imaginária com a outra mão.

Dormi sozinha no quarto de casal, uma noite perturbada por enjôos e uma leve cólica. Holden não apareceu, não fiquei sabendo se dormiu em outro lugar ou se passou a noite em claro. Tive um pesadelo. Estava brincando com Primavera dentro do chalé. Os outros estavam na rua fazendo alguma coisa que ela não podia ficar sabendo, então eu precisava mantê-la dentro de casa. De repente a menina estava com uma faca na mão. *Sabia que a gente nunca morre dentro do próprio sonho?*, ela me perguntou, e então se pôs a demonstrar a tese me esfaqueando. Eu fugia pela sala e tentava me defender, ela me perseguia e me esfaqueava repetidas vezes. *Viu?* Facada. *Você não morre.* Tchac, tchac, tchac. Eu tinha medo, sabia que ela precisava parar porque cedo ou tarde, mesmo no meu sonho, eu ia acabar morrendo. Tinha de escapar da situação sem chamar a atenção dos outros lá fora. Mas não deixava de ser uma brincadeira. Ela me esfaqueava e ria. Eu a empurrava com as pernas e ria, daquele jeito que a gente ri quando uma criança chata insiste em bater na gente. Uma hora olhei para a porta e Vigo estava ali em sua cadeira de rodas, o queixo contra o peito, a barba esparramada sobre a barriga, me encarando com os olhos virados para cima. Estava passando a mão na cabeça de um bebê deitado em seu colo. Tinha finíssimos cabelos pretos e era uma menina. Somente então senti falta do meu bebê. Pus a mão na minha barriga. Onde está? Como ele foi sair daqui?

    Fomos acordados por Holden às seis e meia da manhã. Vestimos roupas de neve. Silvia preparou um chá quente e o acondicionou em uma garrafa térmica. Deixamos Vigo no chalé e saímos na minivan. Fizemos uma parada num minúsculo mercado. Holden comprou ingredientes para sanduíches, alguns alfajores e cigarros. Peguei o jornaleco gratuito que estava numa pilha ao lado do caixa. *Diario Prensa de Tierra del Fuego.* Uma loja de Ushuaia tinha sido roubada, dizia a manchete. Uma escola continuava sem aulas por causa da greve. Na última página, o horóscopo do dia. Li o de Holden.

Aries
Hoy tendrás unas aspiraciones muy elevadas y buscarás la compañía de los demás, te apetecerá compartir. Además, aclararás tus ideas y concretarás alguno de tus proyectos para hacerlo realidad.

Depois o meu.

Libra
Estás en un momento genial, y hoy será el día perfecto para iniciar proyectos. Por otro lado, se tienes hijos, puede que su vida dé un cambio importante; te llevarás una gran sorpresa de su parte.

Guardei o jornal dobrado no bolso do casaco. Entramos no carro e andamos uns poucos minutos por estradinhas em aclive que se aproximavam das montanhas. Paramos em frente a um pequeno portão de madeira numa cerca de arame. Perto dali havia três casas ainda adormecidas, uma picape coberta por uma fina camada de neve e mais nada. Três cachorros enormes vieram correndo em nossa direção, esbaforidos e saltitantes. Um deles nos seguiu quando começamos a subir, os cinco, a trilha que nos levaria ao sopé do Cerro Bonete.

9.

Quando um óvulo é fecundado por um espermatozóide, ele logo começa a se dividir. A primeira célula vira duas, essas duas viram quatro, as quatro viram oito e por aí vai. Até atingir o número aproximado de trinta e duas, o que leva uns três ou quatro dias, essas células são chamadas células-tronco totipotentes. Isso significa que cada uma delas é um ser humano em potencial. Podem desdobrar-se não apenas em qualquer tecido do corpo, mas também na placenta e em outras estruturas extra-embrionárias essenciais para o desenvolvimento do feto no útero. Depois disso as células começam a se especializar. Surgem as pluripotentes, que podem se transformar em qualquer tecido, e as multipotentes, que podem se diferenciar nas células de determinado tecido ou órgão. As células ganham empregos e ficam adultas. Apesar de ainda guardar a informação genética completa, elas esquecem de como usá-la. Sofrem lavagem cerebral para ser apenas fígado, neurônio ou glândula pituitária. Têm todas as pecinhas, mas só uma página do manual de montagem. No entanto, está tudo ali, adormecido. Esse potencial de ser qualquer coisa. A visão do todo necessária para gerar um novo ser. Comecei a me informar obsessivamente sobre essas coisas ainda em São Paulo, ainda com Danilo, mas só agora, enfim grávida, afundando as botas na neve por uma trilha que me levaria ao cume de uma montanha, me ocorria que devia haver um paralelo entre as vicissitudes do embrião e a angústia humana de ter de se contentar com a limitação do que somos. Como se o corpo e a mente carregassem do nascimento à morte a nostalgia daquela totipotência. Simplesmente não nos conformamos. Ninguém nos ouviu. Não fomos consultados pelas forças que nos deram forma e nos reduziram a algo tão menor e mais específico do que... do que o quê? Não sabemos, nunca recordaremos por completo, mas não importa, porque o intuímos em toda sua imensidão. Montanhas e oceanos nos fazem pensar nesse tipo de coisa.

E então subimos. Marchamos num ritmo paciente e constante, calados, em fila indiana. A neve matizada pelo céu limpo e pelo sol nascente exibia nuanças de azul e dourado e algumas árvores coloriam mais o cenário com aquelas folhas de tonalidades que costumamos associar ao pôr-do-sol ou a incêndios. A inclinação do terreno ainda era suave e as botas afundavam na neve ou no barro negro. Aos poucos, as folhas coloridas sumiram e o campo aberto foi se transformando em clareiras no meio de árvores escuras até sermos engolfados por um bosque de troncos desfolhados que formavam uma cobertura de galhos finíssimos se cruzando sobre nossas cabeças. Dentro dessa floresta lúgubre a temperatura baixou muito. Eu fechava minha *campera* até o pescoço e amarrava o capuz ao redor do rosto, mas logo ficava com calor e abria tudo, apenas para fechar novamente minutos depois. Comecei a ofegar e fui ficando para trás. Silvia, que parecia ter muito mais resistência do que eu, reduziu o passo e me fez companhia no fim da fila. Nos distanciamos alguns metros dos outros. À nossa frente iam Parsifal, que andava com as pernas meio abertas e com pisadas firmes, como se seus pés fossem de chumbo, depois Pepino, que usava uma touca de lã multicolorida, coisa de índios peruanos ou bolivianos, depois o silencioso Esteban com seu passo elegante e sem esforço, parecendo uma figura integrada ao bosque, salvo pela mochila amarela. Na dianteira ia Holden com sua mochila de acampamento, jogando gravetos para o pastor alemão que tinha decidido nos fazer companhia. Os cinco acendiam um cigarro após o outro. Num dado momento reparei que todos estavam fumando simultaneamente, menos eu. Só para não fugir à regra, pedi um cigarro a Silvia. Amanhã eu pararia de fumar de novo.

De vez em quando o cachorro recuava um pouco e vinha procurar atenção com os outros componentes da fila. Parecia mais um urso com seu pêlo farto e porte robusto. Tinha feridas recém-cicatrizadas, o que parecia resultado de um atropelamento, nas ancas e nas patas traseiras. Atirávamos gravetos para ele buscar, mas o bicho não se contentava com qualquer coisa. Ignorava os pequenos pedaços de pau que escolhíamos e retornava com galhos enormes na boca, salivando e bufando. Se o ignorávamos, punha-se a roer a madeira até destroçá-la completamente. Fazia isso com tal empenho que sua boca sangrava inteira, mas ele não parecia se importar. Apesar disso, era dócil e oferecia a cabeça para carinhos. Se afeiçoou a Holden e o acompanhava de perto quase o tempo todo. Disparava pelo meio das árvores ou mais adiante na trilha como um batedor, checando o terreno e voltando para dar satisfações ao líder.

A subida ia ficando cada vez mais íngreme. Devemos ter caminhado uma hora e meia antes de chegar a um riacho cheio de pedras atravessado por uma pontezinha. Ali fizemos uma parada. Usamos um grande tronco caído como banco. Holden ofereceu uma caneca de metal que foi passada de mão em mão para recolher água do riacho e beber. Uma água doce e perfumada, recendendo a musgos e pedras. Silvia ofereceu goles de chá quente. Comemos alfajores e brincamos com o cachorro. Eles fumaram. Meu corpo esfriou e a sensação de frio ficou quase intolerável. Minhas meias de lã já estavam encharcadas de suor e meus pés pareciam querer congelar dentro das botas.

Assim que as árvores ficaram às nossas costas, o que tínhamos pela frente era só montanha. Uma rampa cintilante de pura neve cercada de paredões de rocha que debochavam da nossa pequenez. Fizemos nova parada para admirar a vista. Um lago que sumia numa curva da cordilheira, florestas, montanhas e mais montanhas.

Agora a neve era tão profunda que às vezes a perna afundava até o alto da coxa, fazendo de cada passo uma manobra complicada. Os buracos deixados por nossos membros inferiores se preenchiam de uma luz azul que lembrava a de uma lâmpada de néon. Silvia me empurrou por trás e me fez afundar de cara na brancura. Senti na pele do rosto o toque gelado e aveludado da neve fresca, uma sensação como nenhuma outra. Recolhi uma porção de neve com as mãos, esmaguei bem e tentei acertar na cabeça de Silvia, mas errei. Bastou, porém, para inaugurar uma batalha de bolas de neve que se estendeu por alguns minutos. Tão melhor assim, pensei. Sem a pompa, sem a auto-importância. O cachorro também se empolgou com a neve profunda, saltitava como um carneiro, afundava nela até o focinho e emergia instantes depois dando patadas no ar, ofegante como uma locomotiva. Acertei uma bola com toda a força na nuca de Pepino. Queria fazer a mesma coisa com Holden, explodir uma bomba de neve no meio de sua fuça e gritar: "E agora, onde foi parar toda aquela disposição de matar e morrer pela literatura? Ainda acredita nisso? Tudo não passa de uma brincadeira, seu besta!". Mas quando o encontrei, estava afastado de nós, observando de longe. Pobre homem que não sabe brincar. Quanta tristeza nessa solenidade.

Sentei numa pedra no cume do Cerro Bonete e fiquei olhando para a paisagem sem fim, atônita. A outra face da montanha, oposta à que subimos, era um penhasco pedregoso que parecia não ter fundo. Depois desse buraco assustador havia apenas quatro ou cinco montanhas mais baixas do que essa em que estávamos, e para além delas estava a verdadeira surpresa: o oceano. Não era possível avistá-lo durante a subida. A vastidão desse cenário chegava a dar náuseas. Ou o mal-estar que eu sentia vinha de dentro? Cruzei as mãos sobre a barriga e me encurvei. Meu corpo balançava involuntariamente para a frente e para trás. Era o fim da minha viagem.

Começou a nevar. Os flocos que caíam me fizeram pensar na chuva que imaginei cair, anos atrás, sobre as dunas de uma praia, perto de um penhasco próximo ao qual fiz sentar minha personagem. *Por que Magnólia o empurra?*, perguntara Holden da platéia. Respondi algo como: *Porque ela havia convencido a si mesma a amar um homem que não amava só para satisfazer suas ansiedades secretas, e já não estava disposta a tolerar sua presença.* Nunca quis ser como ela. Eu a inventei justamente para nunca precisar ser como ela, para exorcizar uma Anita que detestaria me tornar.

— Magnólia!

Virei o pescoço por reflexo. Os cinco tinham se reunido próximo à beira do penhasco. Holden havia tirado a mochila e estava de costas para o vão sem fundo, segurando na mão um exemplar de seu romance, enquanto os outros permaneciam dispostos em semicírculo ao seu redor, os pescoços virados em minha direção. Entre eles havia um amontoado de pedras.

Saí de minha personagem a tempo. Ninguém ia me fazer levantar dali. Eu ia arruinar o espetáculo. Mas já podia ouvir passos avançando na minha direção. Pensei nas ameaças de Pepino e na figura diabólica de Vigo nos aguardando no chalé. Nenhum deles sabia por que eu estava aqui. Eu também já não sabia. Minha obsessão tinha ficado lá embaixo em algum lugar. Eu a esqueci no píer. Devia estar no fundo do lago Roca. Um filho sem pai. Só meu. Por que desejei tanto isso? Que bem fizera a meu pai ter uma filha só para ele?

— Você não podia ter morrido — falei sozinha. — Não podia.

Esteban e Pepino estavam parados na minha frente. Silvia chegou logo depois.

— Vamos. Só estamos esperando você.

— Não.

Pepino se afastou alguns passos e bufou.

— Essa vagabunda mimada. Eu avisei.

— Cala a boca, Pepino — disse Silvia. Agachou-se do meu lado. Passou a mão no meu braço. — Viemos até aqui. Não faça isso. Holden está contando com você.

Fiz que não com a cabeça.

— Você precisa ir, querida — ela sussurrou e tentou me erguer.

Comecei a chorar. Esteban ajudou Silvia a me conduzir. No meio do caminho senti uma dor muito forte no ventre e minhas pernas amoleceram, mas eles continuaram me levando. Fui delicadamente arrastada e posta de joelhos diante de Holden. Sangue pingava de seu polegar. O cachorro estava deitado sobre a neve a poucos metros, nos observando com uma expressão de tédio.

— Não entendo — disse Holden, desolado. — Achei que estávamos nisso juntos. Temos um acordo.

— Eu não posso! — Senti uma pontada violenta. Não era uma cólica qualquer. — Deixe de ser idiota. Vamos descer, Holden. Por favor. Me leve embora.

Confiando que o ritual poderia prosseguir na base da pura insistência, Parsifal pôs o romance de Holden dentro do círculo de pedras montado sobre a neve, derramou sobre ele um pouco de gasolina trazida dentro de um tubo de filme fotográfico, riscou um fósforo e ateou fogo ao livro. Protegidas do vento, as páginas foram sendo calmamente mastigadas pelas chamas.

As fisgadas ficaram insuportáveis. Me contorci, aos prantos.

— O que é isso, Anita? — perguntou Silvia. Agora eu sabia que não ia parar. Uma pontada atrás da outra. O pastor alemão se aproximou e começou a cheirar minhas pernas.

— Preciso voltar. Estou perdendo meu filho.

— Do que você está falando?

Enfiei a mão dentro das calças e trouxe um pouco de sangue escuro na ponta dos dedos.

— Mãe do céu.

— Ela estava grávida? — disse Parsifal.

— Holden? — chamou Pepino, como quem cobra explicações. Olhou para ele, depois para mim, depois para lugar nenhum. Um rosto transfigurado de perplexidade. Deu uma última espiada em mim, dessa vez não com raiva, mas com certo pavor do que via, e por fim fechou os olhos.

— Você sabia que estava grávida? — Parsifal tinha se agachado ao lado de Silvia. — Onde estava com a cabeça, sua louca?

— Não estou louca! — gritei. — Vocês é que são loucos. Vocês.

Por trás das fagulhas laranja e pedacinhos pretos de papel queimado que se lançavam ao vento junto com uma fumaça quase invisível, vi o corpo de Holden imóvel e reto como uma estaca. Algo nele estava diferente. Tinha se distanciado um pouco do pequeno altar, mas não era isso. Já não estava nos vendo. Estava de costas para nós, com a cabeça caída para a frente. Silvia me pegou por baixo do braço.

— Vamos embora. Me ajuda a levantar ela. Pepino! Está olhando o quê? Fecha essa boca, volta aqui e ajuda, caralho!

Só eu e Pepino o vimos pular. Gritamos ao mesmo tempo, e seguiu-se um longo silêncio. Esteban e Parsifal foram olhar e voltaram em seguida. Nada a fazer. Não era exatamente o que ele queria, mas era próximo o bastante. Silvia chorou um pouco, mas o vento secou suas lágrimas quase na mesma hora.

Quanto a mim, não perdi meu filho ali, mas meu corpo o expulsaria num aborto espontâneo, horas depois, num posto de saúde de Ushuaia, diante de um clínico geral idoso que levantou hipóteses de malformação, infecções e outras coisas.

FIQUE PARA SEMPRE

Era uma experiência nova para ele, a mulher que volta. Havia um certo orgulho envolvido, é claro. Não importava o que ela tinha vivido, que outros homens tinha beijado, com que outros tinha trepado ou se deixado engravidar, o fim do caminho era o ponto de partida, seus braços, sua cama, sua casa. Era um atestado de sua masculinidade e uma vitória moral. Era dele, e não de outro, que ela precisava. Mas opondo-se a essa satisfação havia um rancor que era, na verdade, vários rancores. Por ela ter partido em primeiro lugar. Por não ter sido capaz de um mínimo de paciência para, quem sabe, perseguir juntos seus sonhos de maternidade, um pouco depois, no momento adequado. Por ter retornado, talvez, por pura falta de opção, como se ele fosse dos males o menor. Por demonstrar agora um afeto que não parecia tão intenso e incondicional como o de antes. O detalhe esquisito é que o orgulho o perturbava muito mais do que o rancor. Não havia nada de belo ou elevado nesse orgulho. Sob essa perspectiva, era uma vitória amarga. Não queria ser superior a ela. Nunca desejou que ela dependesse dele. O rancor, por outro lado, tinha um lado edificante. Tinham destruído qualquer ilusão de que pudesse haver um amor infalível entre os dois. A dor que tinham sofrido e causado os aproximava. Será que fazia sentido? Desdenhou de si mesmo com uma risadinha. Tinha bebido doses demais de uísque e a alvorada já começava a dar contraste à linha de prédios do Pacaembu e de Perdizes. Era necessário dormir, mas não tinha vontade.

Ela não tinha falado em momento algum em reconciliação. Quando Anita ligou de Buenos Aires dizendo que estava voltando para São Paulo e perguntando se poderia ficar na sua casa, pelo menos durante algum tempo até que pudesse dar um rumo à vida, ele se surpreendeu com a efusão de sua própria concordância. Sim, dissera. Venha. Estou te esperando. Seu coração acelerou e ele passou os minutos seguintes ao telefonema indo de um lado para o outro no apartamento, da sala para o quarto, do computador para a pia, sem conseguir se deter em nada. Tinha conhecido várias mulheres naqueles meses. Estava ligeiramente envolvido com duas. Mulheres bonitas que o desejavam e procuravam. Mas nenhuma delas era Anita. Comparada às pretensões e à volatilidade dessas novas mulheres com quem vinha travando contato, a falta de ambição e a monstruosa resistência emocional de Anita, duas marcas de sua forma de estar no mundo que outrora o contrariavam, tornavam-se a seus olhos qualidades cada vez mais admiráveis. Sim, venha. Venha e fique, ele quis dizer. Fique para sempre dessa vez. Mas não disse. Não chegou a esse ponto.

Ao longo dos primeiros dias, ficou sabendo de tudo que havia se passado em Buenos Aires, ou pelo menos tudo que ela consentiu em revelar. Como qualquer mulher, Anita tinha medo de ser julgada uma louca. Mas, se ela era louca, queria conhecer sua loucura até o limite. Não acreditava naquela conversa de que para um amor resistir é necessário esconder certas coisas. Queria que ela contasse tudo. Ficou sabendo do argentino. Do acidente durante o passeio na montanha. Da gravidez e do aborto. Tanta coisa em tão poucos meses. Ela não merecia nada daquilo.

Ele a levara ao ginecologista e ao cabeleireiro. Desceram a estrada até a praia numa quarta-feira parcialmente encoberta em plena primavera. Tinha procurado deixá-la o mais à vontade possível nesses dias para que se assentasse, para que decidisse, para que dissesse o que ainda esperava dele, se é que esperava alguma coisa. Ela não se manifestava, não dava sinais. Apenas estava ali.

Serviu mais uma dose e decidiu ver o dia amanhecer por completo.

Agradava-lhe o fato de que amar fosse tão difícil. Será que isso fazia dele uma aberração?, perguntou-se. Tanta dificuldade e tanta vontade. Essa mulher de consecutivas perdas e tragédias o assustava, mas ele a amava ainda mais por isso. Pensou em sua própria vida, tão estável, tão poupada de crises e perdas. Anita era sua crise e suas perdas. Ela o tornava mais humano a seus próprios olhos.

Eram dez horas da manhã quando ela acordou. Ele tinha dado alguns breves cochilos mas continuava sentado na cadeira de trabalho de seu estúdio, os pés apoiados no parapeito da grande janela que dava para uma cidade agora encoberta pela garoa. Estava bêbado e melancólico. Anita surgiu num vestido justo de listras finas e multicoloridas, bebendo uma lata de refrigerante sem açúcar. Sua imensa franja negra estava completamente amassada. Disse um oi e mais nada. Desde que tinha voltado, era como se não estivesse à vontade ali, como se o estranhasse. Será que ela também já não sabia muito bem quem ele era? Ou era o contrário, estava frustrada por ter reencontrado exatamente o mesmo homem que havia deixado para trás?

Saltou da cadeira e, seguindo uma idéia repentina e tresloucada, propôs que subissem no terraço do prédio. Por quê? Por nada. Mas está chovendo. Está garoando. Estou descalça. Eu também. Vamos. Instigada, ela o seguiu. Subiram os dois últimos andares pela escada, abriram a última porta pesada de metal e saíram. Não havia nada para olhar lá de cima. Mas ele fez algo que nunca tinha feito, pelo menos não de modo tão voluntário e incisivo. Declarou que a amava. Ela não sorriu. Pareceu surpresa e, depois, preocupada. Mas ele não se intimidou. Disse que amava seu desprendimento e sua despretensão. Amava cada milímetro de seu corpo e seu cheiro azedo de recém-acordada. Amava seu livro e sua falta de vontade de seguir escrevendo. Amava-a por tê-lo abandonado e por ter voltado. Por ter perdido a mãe ao nascer e por ter enterrado o pai. Amava seus ataques de pânico, sua vontade de ser mãe, sua gravidez com outro e seu aborto espontâneo. Amava a tensão latente entre seus rancores. Estava meio bêbado, confessou, e talvez depois desse fiasco ela quisesse fazer as malas e ir embora de novo, mas se fizesse isso ele apenas a amaria ainda mais. Mas não precisava de mais, já era suficiente. Fique. Fique para sempre dessa vez.

Ela ouviu tudo sem interrompê-lo e não disse nada num primeiro momento. Não importava o que acontecesse dali para a frente, sempre lembraria dela como estava agora: apoiada na grade do terraço, as roupas coloridas, o rosto pálido meio diluído na cidade esfumada, preparando palavras que em instantes poderiam lhe trazer, com igual probabilidade, deleite ou aniquilamento.

"Lá em Ushuaia", ela começou, "há um museu dedicado aos índios que viviam na região antes da colonização dos europeus. Museu Yámana. Por incrível que pareça, eles não usavam roupas naquele frio horrível. Parece que a gordura dos animais e a oleosidade natural da pele bastavam. Eles dormiam ao relento e mergulhavam na água congelante sem dar muita bola. Em algumas fotos, estão cobertos de peles, mas na maioria estão nus. Quando os europeus chegaram, deram roupas de presente aos índios, achando que estavam fazendo uma boa ação. Mas a maioria deles morria em pouco tempo depois de vestir essas roupas. Os tecidos ficavam molhados e eles adoeciam com a umidade. Mas enfim, não era disso que eu queria falar. É que lá no museu fiquei sabendo que a língua dos *yámanas* contém a palavra mais sucinta que existe. Como era mesmo? É... *mapihna*... não. *Mamihlapinatapai*. É o olhar que duas pessoas trocam quando cada uma fica esperando que a outra inicie uma coisa que as duas querem, mas que nenhuma tem coragem de começar." Ela o encarou. "Era bom que houvesse muitas palavras sucintas desse tipo. Sei que essa não se encaixa exatamente no nosso caso, mas imagine uma palavra bem parecida que definisse o olhar que duas pessoas trocam quando uma delas quer iniciar algo que as duas querem, mas a outra põe tudo a perder porque defende que não é o momento certo, que se puderem esperar só mais um pouquinho..." Ele desviou o olhar. "É uma pena que o português não tenha essa palavra, não acha?" Ele imaginou uma palavra que descrevesse a situação em que uma pessoa já sabe o que a outra vai dizer, mas se cala porque é essencial que a outra o diga, para que suas palavras tornem inquestionável a verdade indesejada que os dois já conhecem. "Tarde demais, Danilo. A gente teve um problema de sincronia." Ainda não era bem isso que ele precisava ouvir. Fingiu que não tinha entendido bem, pediu outras explicações. Só a deixaria em paz quando dissesse nos termos mais simples, sem rodeios nem palavras indígenas, que não o amava mais.

1ª EDIÇÃO [2008] 5 reimpressões

ESTA OBRA FOI COMPOSTA EM ELECTRA PELO ACQUA ESTÚDIO E IMPRESSA
EM OFSETE PELA GEOGRÁFICA SOBRE PAPEL PÓLEN BOLD DA SUZANO
PAPEL E CELULOSE PARA A EDITORA SCHWARCZ EM NOVEMBRO DE 2017

A marca FSC® é a garantia de que a madeira utilizada na fabricação do papel deste livro provém de florestas que foram gerenciadas de maneira ambientalmente correta, socialmente justa e economicamente viável, além de outras fontes de origem controlada.